L'HISTOIRE
CONTINUE

GEORGES DUBY
de l'Académie française

L'HISTOIRE
CONTINUE

ÉDITIONS ODILE JACOB
15 rue Soufflot, 75005 PARIS

ISBN 2-7381-0134-8
© ÉDITIONS ODILE JACOB, SEPTEMBRE 1991

L'histoire que je vais raconter débute en 1942, à l'automne. C'est la guerre. Elle est entrée dans sa phase la plus amère. Je viens d'être agrégé. J'enseigne dans un lycée de province l'histoire et la géographie à des jeunes gens. Mon intention ferme est de ne pas en rester là, et j'ai décidé de préparer une thèse de doctorat. Par ambition : la thèse, en ce temps, donne accès à l'enseignement supérieur. Mais aussi par goût : en effet, j'ai pris du goût pour la recherche. J'en suis à choisir un sujet. En ce point précis, un long trajet commence. Car le choix que j'ai fait, lentement, hésitant deux années durant, délimitant à petit coup, quand j'avais loisir d'y penser, le champ de mon futur labeur, a déterminé toute la suite, orienté cette enquête poursuivie sur la même ligne et dont je ne vois pas encore le bout.

Dans un essai d'« égo-histoire », j'ai déjà exposé ce que fut mon itinéraire professionnel, mais très brièvement, m'en tenant aux circonstances, sur lesquelles je n'ai pas ici à revenir, et sans vraiment parler de mon métier. J'entreprends maintenant d'en parler, sobrement, familièrement. De notre métier plutôt, et du parcours que nous avons suivi, car nous avons tous marché du même pas, nous les historiens, en compagnie des spécialistes d'autres sciences de l'homme. Rares en effet sont les chercheurs, dans ces disciplines, qui s'aventurent seuls hors des sentiers battus. D'autres se risquent en même temps qu'eux, sans toujours qu'ils s'en doutent. Le même vent nous pousse et, généralement, nous naviguons de conserve. Par conséquent, cette histoire n'est pas seulement la mienne. C'est celle, étendue sur un demi-siècle, de l'école historique française.

I

Le choix

Sous l'influence d'un maître, Jean Déniau, je m'étais depuis peu converti à l'histoire, plus exactement à l'histoire du Moyen Age. C'est là que j'allais installer mon chantier. Mais il s'agit d'un domaine immense. Je devais décider où précisément me situer. A l'époque dont je parle, la plupart des historiens chevronnés s'en tenaient encore à l'étude du pouvoir, politique, militaire ou religieux, dans ses manifestations extérieures. Ils s'appliquaient à reconstituer une chaîne d'événements, petits et grands, s'interrogeant sur leurs acteurs et sur leurs causes accidentelles, ou bien ils considéraient l'évolution et le jeu formel des institutions. Pourtant, depuis le début des années trente, un front pionnier s'était ouvert sous le choc du grand ébranlement venu secouer en Europe les assises de la production et des échanges. Des historiens plus entreprenants, et qui se multipliaient, avaient tourné leur attention vers les phénomènes économiques. S'inspirant de modèles bâtis par les économistes sur les notions simples de croissance et de crise, ils cherchaient à discerner comment dans le passé avait évolué la valeur des choses, s'évertuant à repérer des tendances de longue durée et des cycles. Ils s'étaient mis pour cela à dépouiller dans les archives des fonds jusqu'ici délaissés parce qu'ils livrent peu sur les faits et gestes des politiciens et des militaires. Ils recueillaient parmi les livres de comptes, les recensements, les inventaires, des brassées de données numériques et mettaient en œuvre pour les traiter des procédés statistiques encore sommaires. De telles préoccupations portaient en germe non seulement l'image proposée plus tard par Fernand Braudel, dans un article célèbre, des trois étages superposés de la durée, événement, conjoncture et structure (les événements, en surface, comme une écume, surplombant les oscillations de la conjoncture; soutenant le tout, des structures, imperceptiblement entraînées par des mouvements beaucoup plus lents, et les deux derniers termes de cette figure ternaire, conjoncture et structure, empruntés, remarquons-le, au langage de l'économie), mais aussi une volonté de mesurer, d'évaluer, de quantifier à toute force, l'obsession du nombre, de la moyenne, de la courbe, c'est-à-dire ce genre d'histoire que l'on appela sérielle et dont les succès devaient s'affirmer en France après 1950, notamment à propos de la démographie des époques anciennes.

Certaines périodes de l'histoire se prêtent mieux que d'autres à mener des investigations de ce type. Ce sont celles où le chercheur, sans être accablé par une documentation surabondante, peut extraire des textes des séries continues de chiffres. C'est le cas de l'époque dite moderne, les XVIe, XVIIe et XVIIIe siècles. Cependant, l'enquête est également possible pour le Moyen Age tardif, à partir du moment, le seuil du XIVe siècle, où les gens de plume et de comptes sont devenus nombreux auprès des princes et où ont commencé de s'accumuler des dénombrements de tout genre. Ainsi quelques médiévistes, plus âgés que moi de dix à quinze ans, qui venaient de soutenir leur thèse ou l'achevaient, s'étaient engagés déjà dans l'histoire économique. Ils observaient principalement les mouvements du commerce, par conséquent le milieu urbain, Jean Schneider à Metz, Philippe Wolff à Toulouse, Yves Renouard dans les cités de Toscane, Michel Mollat dans les ports de Normandie. Ce que nous connaissions de leurs travaux nous en imposait. Naturellement, j'étais prêt à rejoindre cette avant-garde.

Le précurseur ici était le grand historien belge Henri Pirenne, dont la figure, lorsque j'étais étudiant, éclipsait encore celle de Marc Bloch. Travaillant dans un pays, la Flandre, où ce qu'il pouvait exister de sentiment national prenait racine dans de vieilles villes marchandes, s'attachait au souvenir d'hommes d'affaires audacieux qui, forts de leur argent, captant les faveurs d'un artisanat puissant que le succès de leurs entreprises déployées aux quatre coins de l'horizon faisait vivre, avaient conquis jadis sur le pouvoir féodal les libertés bourgeoises, Pirenne s'était élevé de l'histoire locale à celle du monde, jusqu'à des considérations sur ces ruptures d'équilibre qui, une ou deux fois par millénaire, font dévier le destin d'une civilisation. L'essentiel de ses recherches avait porté sur les « origines du capitalisme » (ainsi s'intitule un ouvrage de son disciple Georges Espinas), en particulier sur l'ascension dans les villes flamandes des premières dynasties patriciennes. Ce qu'il voyait autour de lui du système capitaliste l'incitait à rechercher dans le flux des monnaies et dans le développement du négoce au long cours l'impulsion majeure de cette promotion sociale. Sans doute oubliait-il trop que ni l'échange, ni l'instrument monétaire, ni l'esprit de profit n'occupaient dans les manières de vivre du comte de Flandre Charles le Bon ou de Jacques van Artevelde la même position que dans les nôtres. Mais Pirenne possédait une faculté rare, celle que j'avais admirée chez Déniau et qui m'avait attaché à lui, le don de sympathie, la puissance imaginative et l'alacrité d'écriture qui permettent de faire revivre les hommes d'autrefois à partir de quelques informations courtes, fragmentaires, desséchées. Les pages de ses livres grouillent de vie. Elles incitaient à glisser de l'histoire économique à celle des sociétés. Mes devanciers le faisaient déjà et j'inclinais moi-même à le faire.

En 1942, cependant, l'économie occupait tout le devant de la scène et reléguait à l'arrière-plan, en comparse subordonnée, l'histoire « sociale ». *Commerce et marchands de Toulouse,* Philippe Wolff allait ainsi intituler l'ouvrage qu'il préparait : le commerce en premier lieu (les statistiques), les hommes ensuite – et, j'ajoute, la campagne environnante regardée constamment depuis la ville, en fonction de la puissance et des besoins de celle-ci. Mon choix fut différent. Je pris délibérément pour objet d'étude une formation sociale, la société que nous appelons féodale, une société dont les armatures se sont mises en place à une époque où les villes et les marchands ne comptaient guère, où tout était encastré dans la ruralité. Pourquoi cette décision ? Parce que, avant d'être formé par des historiens, je l'avais été par des géographes, et parce que ceux-ci m'avaient conseillé très tôt de lire les *Annales d'histoire économique et sociale* et Marc Bloch.

*
* *

Le géographe regarde un paysage et s'efforce de l'expliquer. Il sait que cet objet, véritable œuvre d'art, est le produit d'une longue élaboration, qu'il a été façonné au cours des âges par l'action collective du groupe social installé dans cet espace et qui le transforme encore. En conséquence, le géographe se sent tenu d'étudier d'abord le matériau, c'est-à-dire les éléments physiques modelés peu à peu par ce groupe social, mais non moins attentivement les forces, les désirs, la configuration de celui-ci, et donc de s'en faire peu ou prou l'historien. Tel, par exemple, Étienne Juillard, pour comprendre l'aspect que l'on voit en Alsace aux villages, au réseau des chemins, aux champs. Tel André Allix, qui dirigea mon premier apprentissage. Allix collaborait aux *Annales* et avait longtemps travaillé dans les archives du Dauphiné sur des registres du XVe siècle, convaincu de ne pouvoir rendre compte convenablement des paysages actuels de l'Oisans sans savoir comment ces montagnes avaient été occupées et exploitées au Moyen Age.

Avant de devenir moi-même historien, je m'étais, sous ce maître, orienté vers une autre conception de l'histoire. Beaucoup plus charnelle, savoureuse, et surtout utile que celle, superficielle, des individus d'exception, princes, généraux, prélats ou financiers, dont les décisions semblent gouverner les effervescences de l'événement, m'apparaissait l'histoire de l'homme quelconque, de l'homme en société, et je sentais qu'il était urgent de s'attaquer résolument à cette histoire-ci. Je devinais surtout qu'une société, comme un paysage, est un système dont de multiples facteurs déterminent la structure et l'évolution, que les relations entre ces facteurs ne sont pas de cause à effet mais de corrélation, d'interférences, qu'il est de bonne méthode d'examiner un par un ces facteurs dans un premier temps, car chacun d'eux agit et évolue selon son propre rythme, mais qu'il faut impérativement les considérer dans l'indissociable cohésion qui les rassemble si l'on veut comprendre le fonctionnement du système. Autant de principes auxquels je me suis depuis lors référé. Et l'étude des paysages m'avait aussi permis d'entrevoir que, parmi les facteurs dont la conjonction commande la destinée des sociétés humaines, ceux qui touchent à la nature c'est-à-dire à la matière ne l'emportent pas forcément sur d'autres qui relèvent de la culture, donc de l'esprit. Ces considérations me préparaient à renverser les rapports de subordination entre l'histoire économique et celle des sociétés. Elles pesèrent lourdement, j'en suis sûr, sur le choix que je fis.

Non moins décisive fut l'intime relation que j'entretenais avec les *Annales d'histoire économique et sociale*. Encore étudiant en géographie, j'en avais dépouillé systématiquement les dix premières années, c'est-à-dire la collection complète. Les articles de fond m'avaient vivement impressionné, moins toutefois, me semble-t-il, que les comptes rendus, les notes critiques, les avertissements signés des deux directeurs, Lucien Febvre et Marc Bloch, cette part de leur œuvre, hésitante, moins achevée, plus libre, et dont l'influence, sans doute, fut sur moi, débutant, plus forte. De cette lecture assidue, je tirai deux enseignements. Que l'historien ne doit pas s'enfermer dans son trou, mais suivre attentivement ce qui se passe dans les disciplines voisines. Que conduire une recherche avec toute la rigueur requise n'oblige pas, lorsqu'on en vient à divulguer les résultats de l'enquête, d'écrire avec froideur, que le savant remplit d'autant mieux sa fonction qu'il plaît à ceux qui le lisent, qu'il les retient et les captive par les agréments de son style.

Dans les *Annales* de mes dix-huit ans, j'avais découvert Marc Bloch. Il me devint beaucoup plus proche lorsque je me rangeai sous la bannière de Jean Déniau, qui l'admirait et nous le montrait en exemple. De Marc Bloch, je ne devais lire que beaucoup plus tard *Les Rois thaumaturges*. En revanche, je lus très tôt *Les Caractères originaux de l'histoire rurale française*. J'en avais fait mon bréviaire quand, apprenti géographe, j'étudiais les structures agraires d'après les cadastres et les cartes : rouvrant ce livre il y a peu, je m'aperçus que j'en savais presque par cœur des pages entières. Toutefois, le fait pour moi décisif avait été la publication en 1939 et 1940 des deux volumes de *La Société féodale*. Le titre d'abord : je l'avais reçu comme un manifeste, affirmant que l'histoire sociale n'est pas simple appendice de l'histoire économique, et qu'il est légitime, fructueux, nécessaire d'étudier pour elle-même une société ancienne. Je m'étais jeté sur ce grand œuvre – comme un peu plus tard sur cet autre, aussi hardi, aussi vivifiant, *La Religion de Rabelais,* de Lucien Febvre. Le livre de Marc Bloch me toucha au bon moment. J'avais encore l'esprit tout frais. Il fut modelé, je crois, par la lecture passionnée que je fis de ce texte. *La Société féodale* me marqua jusque dans ma façon d'écrire. Lorsque j'en relis aujourd'hui quelques pages, je suis étonné de leur jeunesse, de leur inépuisable fécondité, de leurs audaces. Je trouve là ce qui aujourd'hui encore stimule nos recherches, ce qui nous tire en avant. Par exemple l'invite,

17

insolite en ce temps, à recourir, pour mieux saisir le comportement des guerriers du XIIᵉ siècle, au témoignage de la littérature de divertissement qui les charmait, des chansons de gestes et des romans de chevalerie qui leur proposaient des modèles de conduite. Et ces pistes que nous suivons pour pénétrer jusqu'aux structures les plus profondes d'une culture, nous imaginons qu'elles nous furent signalées récemment par les ethnologues, férus de mythes et de systèmes de parenté. Je les découvre déjà indiquées dans ce livre. Si j'avais à conseiller un seul ouvrage à des historiens débutants, ce serait celui-ci, persuadé qu'il les aidera à s'avancer plus loin que nous ne sommes allés, en raison des propositions aventureuses qu'il renferme et de tous les problèmes, encore non résolus, qu'on y voit posés. Après l'avoir lu, mon siège était fait : je tenterais de poursuivre sur la même voie.

II

Le patron

Je devais choisir un sujet, mais choisir aussi un patron. C'est l'usage. Une thèse doit être « dirigée », et les règlements administratifs eux-mêmes l'exigent. Le patron paraissait tout trouvé : Jean Déniau. Mais Déniau tenait à faciliter ma carrière et s'effaça. A cette époque, en effet, pour avoir du poids, la thèse devait être soutenue en Sorbonne. Le label de Paris paraissait indispensable. Je suppose qu'il m'aurait confié à Marc Bloch. Mais en 1942, Marc Bloch avait disparu dans la clandestinité et, deux ans plus tard, dans Lyon libéré, on devait identifier son cadavre parmi ceux, entassés, des résistants martyrisés. Bloch m'aurait-il, par sa conversation, ses conseils, guidé plus fermement qu'il ne l'a fait par ses seuls écrits ? Je n'en suis pas sûr. Ceux de mes amis qui furent ses élèves m'ont dit qu'il n'était pas de commerce facile. Il me suffit pour me proclamer son disciple de l'avoir lu. Le relisant, je ne cesse d'apprendre.

Le patron parisien que Déniau choisit pour moi fut Charles-Edmond Perrin. Perrin me connaissait. Il présidait le jury qui, l'été précédent, à Grenoble, avait jugé que je méritais d'être agrégé de l'université. Après l'oral, je lui avais fait part de mes projets. J'ai dit ailleurs ce que je dois à ce savant, et qui est immense. Étroitement lié à Bloch comme à Déniau, Perrin avait lui aussi rejoint les *Annales,* il se trouvait lui-même engagé sur le chemin où m'entraînait la lecture de *La Société féodale.* Ses recherches – menées dans le cadre imposé, la thèse de doctorat – avaient éclairé tout un pan de l'histoire sociale. Elles portaient sur les relations entre les sujets et leurs seigneurs, et ceci en milieu rural, dans les campagnes de Lorraine. Perrin avait abordé le problème par des approches que ni mon éducation de géographe ni l'enseignement de Déniau ne m'avaient rendues familières, celle de l'histoire du droit, telle qu'on la pratiquait alors avec brio en France et en Allemagne, et celle de l'érudition la plus rigoureuse. Il partait de documents très arides, de ces inventaires où, aux temps carolingiens, le maître d'un grand domaine avait ordonné de consigner ce qu'il pouvait espérer tirer de ses terres, ce qu'il était en droit d'exiger des paysans

placés sous sa puissance. Ces longues listes de
redevances, de tenanciers, de corvées, de parcelles
avaient aidé à mieux gérer le patrimoine de ces
établissements religieux où, sous la tutelle des
empereurs et dans l'élan d'une renaissance de l'écrit,
on s'appliquait à perfectionner, pour la gloire de
Dieu, l'exploitation des richesses du monde. Par la
suite, et pendant des générations, les administrateurs s'étaient servis des mêmes parchemins. Mais
ils avaient dû, de temps en temps, grattant, ratu-
rant, rajoutant, les mettre à jour. Perrin avait
rassemblé tous les documents de ce type par hasard
conservés, puis, avec une extrême minutie, il avait
soulevé l'une après l'autre, sur ces sortes de palimp-
sestes, chacune des strates qui s'étaient déposées
sur le texte initial, cherchant à discerner, à travers
les retouches, les substitutions de noms propres, de
chiffres, de mots, comment s'étaient modifiés entre
le IXᵉ et le XIIᵉ siècle le pouvoir du seigneur et la
condition des hommes et des femmes qui travail-
laient pour lui. L'exposé détaillé, très austère, des
résultats de cet examen venait en prélude. Interminable. Indispensable. Mais cette ouverture
débouchait sur quelques dizaines de pages bril-
lantes, lumineuses, où se déployait d'un coup l'histoire séculaire d'une société paysanne. Ici se révélaient les vertus de la démarche. Perrin montrait
qu'il n'était pas asservi à l'érudition. Il en jouait
souverainement. Il l'utilisait pour se porter, avec

21

prudence, mais d'autant plus assuré, aux avant-gardes de la curiosité historienne. Il donnait ainsi la leçon dont j'avais besoin, dans mon inexpérience.

Cette leçon, je l'ai surtout tirée d'un livre, car il faut dire comment Charles-Edmond Perrin « dirigeait » ma thèse. J'allais le voir deux ou trois fois l'an. Nous demeurions une heure, une heure et demie face à face, dans la tanière envahie de livres où il me recevait. Nous parlions, ou plutôt il parlait, revenant sans cesse sur la même histoire, son épopée, la guerre de 1914; il m'en narrait des épisodes, inscrits jusqu'au moindre détail dans son extraordinaire mémoire; à la fin de l'entretien, en quelques phrases, je lui disais où j'en étais; en me reconduisant sur le palier, il me souhaitait de bien continuer. Quand il m'advint de devenir moi-même patron, je ne fus guère plus directif. Je ne crois pas cela nécessaire. Par Perrin, je m'étais senti vraiment guidé, avant tout par une présence attentive, malicieusement critique. Affectueuse, essentiellement : je savais que s'il m'arrivait de dévier, je serais aussitôt redressé et soutenu.

D'ailleurs, tout s'était mis en place lors de la première visite que je lui avais rendue, dans le Paris sinistre de l'hiver 1942-1943. Il m'avait alors donné deux conseils. Celui d'abord de ne pas me presser, de lire beaucoup, de voir clairement où en

22

était la recherche afin de m'établir sur le terrain le plus fertile et dans un angle qui correspondît à mon tempérament. Ensuite était venue la recommandation qui décida de tout l'avenir. Perrin me dit qu'il serait bon, tout de suite, avant de définir un sujet et d'en préciser le cadre, de prendre un document d'accès facile, déjà édité, imprimé, afin de me faire la main. Mais un beau document, de forte consistance, un filon riche, et qui restât encore à peu près vierge. Tout en observant de biais le travail des autres, je méditerais sur les phrases de ce texte, j'inventerais petit à petit un questionnaire. Rentré chez moi, j'ouvris l'ouvrage qu'il m'avait suggéré d'explorer. Je m'y plongeai et n'en sortis pas de longtemps. Car je découvris là le territoire où m'établir, pour mieux connaître, dans le sillage de Marc Bloch, ce qu'avait été la société féodale.

III

Le matériau

Le *Recueil des chartes de l'abbaye de Cluny,* formé par Augustin Bernard, complété, révisé et publié par Alexandre Bruel, voici l'ouvrage que Perrin m'avait indiqué. Six gros volumes in-octavo, imprimés sur un papier superbe entre 1876 et 1903, pour la collection des *Documents inédits sur l'histoire de France.* Je les ai feuilletés, refeuilletés, coltinés dans mes voyages pendant des années, pour finalement les éreinter tout à fait, les user jusqu'à la corde. J'en tirai l'essentiel du matériau que je mis en œuvre. Ce mot « matériau », brutal, ouvrier, je l'emploie à dessein car il convient pour désigner la masse inerte, le gros tas de mots écrits, tout juste extraits de ces carrières où les historiens vont s'approvisionner, triant, retaillant, ajustant, pour bâtir ensuite l'édifice dont ils ont conçu le plan provisoire.

Les auteurs du *Recueil* avaient commencé par déchiffrer de leur mieux le contenu d'un cartulaire, c'est-à-dire d'un *corpus* réunissant la transcription des titres de possession et des privilèges d'une communauté. La communauté en l'occurrence était celle des moines de Cluny, et la confection de ce cartulaire, décidée au milieu du XIe siècle, dans les dernières années du gouvernement de l'abbé Odilon, avait été réalisée un peu plus tard, en un temps où le monastère, dont l'éclat devenait de plus en plus vif et dont la richesse croissante attisait les convoitises, devait à la fois consolider les assises de sa réputation et défendre plus attentivement les droits qu'il détenait sur de la terre et sur des gens. Comme il advenait à cette époque dans les établissements religieux les mieux tenus, souvent à l'occasion d'une reprise en main par une nouvelle équipe dirigeante soucieuse de soutenir par une meilleure gestion de son patrimoine la réforme morale de la famille monastique, les administrateurs de l'abbaye avaient alors ordonné de recopier les chartes qui, depuis la fondation, c'est-à-dire depuis plus d'un siècle, s'entassaient dans des armoires et l'on avait commencé de remplir les feuillets de trois registres aujourd'hui conservés à la Bibliothèque Nationale. Ces livres demeurèrent dans l'atelier d'écriture où l'on continua longtemps de les utiliser, les complétant, inscrivant au jour le jour sur les pages restées libres la copie d'actes que l'on venait de dresser, toutefois, au fil du temps, avec de plus en plus de négligence. Bernard et Bruel entendirent compléter l'abondante moisson qu'ils avaient ainsi récoltée. Ils voulurent rassembler tout ce qui ne s'était pas perdu des archives clunisiennes, et partirent à la recherche des pièces originales. Ils en découvrirent fort peu, car les parchemins isolés, devenus sans utilité, s'étaient égarés en partie, et ce qu'il en restait à Cluny avait été dispersé de toutes parts, avant, pendant et après la Révolution. Du moins les deux érudits en avaient-ils retrouvé de nombreuses transcriptions, œuvres de ces diligents paléographes qui, dans les derniers temps de l'Ancien Régime, sauvèrent une bonne part des anciennes archives de la France. Le *Recueil* réunit ainsi plus de cinq mille cinq cents documents, de toute nature et de toute taille. Je les avais devant moi.

Presque tous sont des titres de possession destinés à être éventuellement produits devant des juges. Ces actes, analogues à ceux que l'on dresse aujourd'hui dans l'étude d'un notaire, établissaient les droits acquis par les religieux après un achat, un échange, ou l'une de ces innombrables donations dont, aux xe et xie siècles, l'abbaye avait bénéficié parce qu'elle veillait sur des morts, beaucoup de morts, accomplissant pour eux les services liturgiques dont on pensait qu'ils aidaient les âmes en peine à gagner le paradis. En outre, comme les moines, lorsqu'ils prenaient en main un bien, jugeaient quelquefois utile de garder tout le dossier le concernant, la collection rassemblée par Bernard et Bruel renferme aussi quelques débris, rares et précieux, d'archives familiales. Y figurent encore, mêlés à des bulles de papes et d'empereurs, des diplômes émanant des chancelleries royales, des fragments de comptes, des inventaires, des quittances, glissés là par le hasard de très anciens classements. Tout cela dans le plus grand désordre.

Fouiller dans ce fatras d'écriture était un peu comme ouvrir un coffre resté clos pendant huit siècles, rempli de liasses. Un torrent de mots, de noms s'échappait du *Recueil,* des mots dont je devais retrouver le sens perdu, des noms propres dont je devais découvrir quels personnages les avaient portés, quels champs, quelles forêts d'aujourd'hui ils avaient autrefois désignés. Le prix, inestimable, des écrits dont je parle tient à leur ancienneté. Nombre d'abbayes ont été fondées en Occident longtemps avant Cluny, qui ne le fut qu'au début du Xe siècle. Mais Cluny est situé dans la moitié méridionale de la France, une région où la pratique, héritée de l'antiquité romaine, de rédiger des actes pour soutenir des droits, s'est maintenue plus longtemps tenace. D'autre part, le monastère jouissait d'un statut qui, dès l'origine, l'avait protégé du désordre. Il en résultait que ses archives étaient d'une richesse exceptionnelle lorsque leur contenu fut recopié dans le cartulaire. Celui-ci procure donc au chercheur l'information la plus dense qu'il puisse espérer quant à la période obscure où la « féodalité », comme nous disons, s'est installée. En dehors de l'Italie et de l'Espagne, ce qui n'a pas péri des actes privés dressés en Europe avant le milieu du XIIe siècle est infime. A Cluny, deux cents ans plus tôt, c'était déjà l'abondance.

A vrai dire les plus anciennes de ces pièces sont d'une grande sécheresse. Elles sont bâties sur des formules transmises de génération en génération, sans se modifier notablement, dans les officines des scribes professionnels. De l'une à l'autre, seuls ou presque changent les noms des acteurs ou des témoins, ceux des fonds qui font l'objet de la transaction et les mentions de mesures établissant la valeur de ceux-ci. Tout juste de quoi reconstituer des généalogies et des fortunes. La vie affleure à peine. Brusquement, aux approches de l'an mil, elle surgit. C'est l'effet d'un changement radical dans la distribution des pouvoirs et l'exercice de la justice. Les anciens formulaires ne peuvent plus servir, et l'on cesse d'ailleurs de se référer à l'écriture dans les assemblées d'arbitrage; le droit s'y prouve maintenant par des paroles et par des gestes.

29

Les moines chargés de veiller sur le patrimoine doivent alors composer eux-mêmes des sortes de comptes rendus de ces palabres judiciaires, afin de conserver en mémoire ce qui s'y est dit, le nom des hommes qui, présents ce jour-là, ont entendu prononcer tel serment, ont vu ce couteau, ce rameau, cette motte de terre, symbole du bien abandonné et reçu, passer d'une main dans une autre main, et qui pourront plus tard, en cas de contestation, se porter garants de la transaction. Certains de ces procès-verbaux sont comme de petites chroniques, parfois très prolixes lorsque les débats ont été orageux, lorsqu'il a fallu revenir à plusieurs reprises devant les arbitres, courir après les opposants, les allécher pour qu'ils acceptent de sortir de leur repaire, de comparaître, de combattre en champ clos le champion de la partie adverse. Dans de tels écrits, on voit se révéler des comportements et des rapports de société dont les froides formules de jadis ne montraient à peu près rien, et ceci pendant plus d'un siècle. Puis la source lentement s'épuise. Passé 1120, les archivistes deviennent moins soigneux, les documents se raréfient. A la fin du XIIᵉ siècle, leur nombre commence à croître, mais ils se dessèchent à nouveau : l'état, le droit public, les appareils de justice se sont reconstruits, des équipes de spécialistes se sont formées et ces professionnels travaillent comme leurs prédécesseurs du haut Moyen Age sur des formulaires; ils s'efforcent d'allonger autant qu'ils peuvent les actes qu'ils rédigent, car ils sont payés à la ligne, et ces actes sont plus attentivement conservés; l'écrit prend donc de l'ampleur, mais il se fige; la substance utile à l'historien s'amenuise et finit par se réduire, comme au Xᵉ siècle, à ce que l'on inscrit dans le blanc des formules.

A mesure que je dépouillais le *Recueil,* je voyais se préciser les limites de la tranche chronologique la plus propice aux recherches que je voulais mener : en gros deux siècles, le XIᵉ et le XIIᵉ, et les trois ou quatre décennies précédant et suivant ces siècles. Je n'ai donc pas a priori fixé les bornes de mon enquête. Les caractères de la documentation, tels que je les percevais dans les documents clunisiens, me les ont proposées. En même temps, je reconnaissais quel espace se prêterait le mieux à l'observation, celui où les sources s'offriraient en particulière densité. C'était un territoire assez restreint. En effet, si les informations procurées par un bon nombre des chartes ici rassemblées se dispersent sur une aire très vaste, puisque Cluny a étendu son influence à cette époque et recueilli des donations jusqu'en Espagne, en Italie, en Allemagne, la grande majorité des titres conservés regarde la fortune foncière qui s'était massivement accumulée autour des vingt-trois « doyennés », ces unités d'exploitation et de perception placées chacune sous la

31

direction d'un religieux délégué, assisté d'une petite escouade de gestionnaires, sur quoi reposait la charge de ravitailler à tour de rôle les greniers, les caves, les écuries du monastère. Seuls par conséquent les environs immédiats de l'abbaye sont placés par les documents du *Recueil* dans une lumière assez vive et continue. Je décidai par conséquent de concentrer mon investigation non pas dans une circonscription administrative, dans les frontières d'un diocèse ou d'une formation politique, ni dans celles d'une de ces régions naturelles que les géographes s'appliquaient à définir, mais sur l'étendue, déterminée par les hasards de la conservation des archives, où les textes sont suffisamment nombreux et rapprochés pour laisser entrevoir les phénomènes que je me donnais pour tâche d'étudier. L'enquête ne s'étendrait pas au-delà des abords de Chalon au Nord, de Beaujeu au Sud, des lisières du Charollais à l'Ouest, de celles de la Bresse à l'Est. En effet, dans ce cadre étroit – la moitié environ d'un département français actuel – je me proposais de voir tout ce qui se montrait visible, afin de saisir autant que faire se pouvait, à la manière des géographes, les multiples articulations d'un ensemble.

Voici en quoi, principalement, mon projet différait de celui de Marc Bloch. Sans doute, Bloch, durant le séjour qu'il fit à Leipzig en 1908, avait-il découvert l'intérêt de conjoindre aux méthodes traditionnelles des médiévistes celles, globalisantes, de l'anthropogéographie que Ratzel avait forgées, et lorsqu'il se mit ensuite à fouiller dans des archives pour s'informer de la société rurale aux temps féodaux, il s'était cantonné dans une petite région des environs de Paris. Pourtant, comme la plupart des historiens du premier quart du XXᵉ siècle, il avait choisi d'étudier une institution, le servage d'abord, dans ce qui devait être sa thèse de doctorat, puis la royauté, pour ce qui devint les *Rois thaumaturges*. Préparant ce dernier livre, comme lorsqu'il préparait les *Caractères originaux,* Bloch, convaincu de la fécondité de la méthode comparative, avait tenu à embrasser d'un seul regard un vaste espace plein de contrastes. S'attaquant à *La Société féodale,* sa démarche était restée la même : décrire le jeu de quelques institutions clés dans la longue durée et sur l'ensemble de la chrétienté latine. L'exemple en ce point ne me vint pas de Marc Bloch, mais de Perrin.

L'aire ainsi délimitée, je devais poursuivre ma quête, car Cluny n'occupait pas, loin de là, tout ce terrain. Je pouvais être certain de trouver, hors de ses archives, des renseignements complémentaires. Quelques dizaines de maisons religieuses importantes ont en effet prospéré dans ces parages au Moyen Age, d'autres abbayes dont Tournus, la plus vénérable, deux cathédrales, Mâcon et Châlon, des commanderies du Temple et de l'Hôpital, des prieurés dépendant de monastères plus lointains, et les titres fondant la possession de ces établissements ne sont pas tous perdus. La plupart d'entre eux d'ailleurs, comme ceux de Cluny, se trouvaient être édités, ce qui facilitait ma tâche. Des quarante-cinq éditions que j'utilisai, onze datent des XVIIe et XVIIIe siècles, vingt-neuf, c'est-à-dire les deux tiers, sont sortis des presses dans la seconde moitié du XIXe siècle, cinq seulement furent publiées après 1910, et ceci fait apparaître la vitalité de l'érudition en France sous le second Empire et dans les débuts de la troisième République, ainsi que son étiolement dans le premier XXe siècle. Je découvris ainsi, à ma disposition sur les rayons des bibliothèques, sept cartulaires, dont celui de la cathédrale de Mâcon, ce « livre enchaîné » que les chanoines avaient gardé longtemps solidement attaché à l'un des murs du cloître pour éviter qu'il ne s'égare, car il constituait à leurs yeux le meilleur gardien de leurs droits. J'allai plus loin. Je tirai parti, à la Bibliothèque Nationale, à Lyon, à Dijon, de nombreuses transcriptions demeurées manuscrites de documents aujourd'hui perdus. Les pièces originales, beaucoup plus rares, sont pour la plupart rassemblées aux archives de Saône-et-Loire. Leur conservateur se jugeait alors, comme il arrive quelquefois, propriétaire du dépôt dont il avait la responsabilité; il écartait comme il pouvait les intrus. Je dus tromper sa vigilance hargneuse. En fin de compte, je fus déçu. Je croyais ces réserves immenses : elles se révélèrent misérables. Du moins passai-je, dans la petite salle de lecture, des moments de plaisir assez vif.

J'étais seul. J'avais enfin obtenu qu'on apportât sur une table un carton. Je l'ouvrais. Qu'allait-il sortir de cette boîte? J'en tirais une première liasse. Je la délaçais, je glissais ma main parmi les pièces de parchemin. Prenant l'une d'elles, je la dépliais, et tout ceci n'allait pas déjà sans quelque jouissance : ces peaux souvent sont au toucher d'une tendresse exquise. S'ajoute l'impression de s'introduire dans un lieu réservé, secret. De ces feuillets, défroissés, répandus, il semble que s'exhale dans le silence le parfum de vies depuis longtemps éteintes. C'est vrai que la présence demeure forte de l'homme qui, huit cents ans plus tôt, s'est saisi d'une plume d'oie, l'a trempée dans l'encre, a commencé d'aligner les lettres, posément, comme on grave une inscription pour l'éternité, et le texte est là, devant soi, dans sa pleine fraîcheur. Qui donc, depuis lors, a jeté les yeux sur ces mots? Quatre, cinq personnes tout au plus. *Happy few.* Autre plaisir, excitant celui-ci, le plaisir du déchiffrement, qui n'est, en fait, qu'un jeu de patience. Au bout de l'après-midi, une poignée de données, légère. Mais elles appartiennent à vous seul, qui avez su les débusquer, et la chasse a compté beaucoup plus que le gibier. L'historien se trouve-t-il jamais plus près de la réalité concrète, de cette vérité qu'il brûle d'atteindre et qui toujours lui échappe, que tenant devant lui, scrutant de ses yeux, ces débris d'écriture venus du fond des âges, comme les épaves surnageant d'un complet naufrage, ces objets, couverts de signes, que l'on peut toucher, flairer, regarder à la loupe, qu'il nomme, dans son jargon, des « sources ».

Aux archives de Mâcon, le fonds le plus riche pour le XIIᵉ siècle est celui de La Ferté, abbaye fondée au profond d'une forêt des bords de la Saône par le premier essaim de religieux sorti de Cîteaux lorsque l'arrivée de Saint Bernard et de ses camarades vint tirer ce monastère perdu du complet dépérissement où il allait s'éteindre. Ce fonds contient un cartulaire, mais de forme inhabituelle. Non pas un registre, un ensemble de feuilles volantes de parchemin. Certaines longues de près d'un mètre (les Cisterciens étaient d'excellents éleveurs; ils nourrissaient des moutons de belle taille dans leurs exploitations pilotes), de grain très fin (les Cisterciens étaient aussi d'excellents artisans). Sur ces feuilles, des lignes parallèles ont été tracées à la pointe, très soigneusement, afin de ranger les mots latins dans un ordre parfait.

LE MATÉRIAU

Les caractères sont admirables, l'encre d'une si bonne qualité qu'on la croirait posée d'hier. Ce qui n'était qu'un banal outil d'administration fut constitué avec le même souci de rigueur, d'harmonie, de perfection dans le dépouillement, d'adéquation entre la forme et la fonction, dont procède cette beauté qui coupe le souffle quand on pénètre dans les églises, les cloîtres, les dortoirs, les granges édifiés par l'ordre de Cîteaux. De ce monument superbe, je me suis emparé. En ce temps, le candidat docteur était tenu d'adjoindre à sa thèse principale une thèse complémentaire. Je choisis pour celle-ci de publier le contenu des vingt-six planches que j'avais découvertes, ajoutant ainsi l'édition critique d'un nouveau texte aux quarante-cinq que j'étais en train d'exploiter.

Au terme de mon exploration des archives et des bibliothèques, j'avais rassemblé deux fois plus d'actes qu'il ne s'en trouve, concernant le terrain de mes recherches, dans le *Recueil des chartes de Cluny*. Près de dix mille, certains de deux ou trois lignes, d'autres couvrant des dizaines de pages imprimées. Quant à ces autres « sources » que nous disons narratives, des textes encore, ceux-ci rédigés non par des notaires, mais par des écrivains et dans un tout autre dessein, celui de divertir, de convaincre, d'exposer une certaine conception du monde, documents moins laconiques mais aussi

beaucoup moins fiables, dont l'auteur, généralement de bonne foi, disant ce qu'il croit savoir mais
à sa manière, déformant sans le vouloir par le seul
souci de bien écrire, accentuant tel trait, glissant
sur tel autre, ne ment pas vraiment mais parfois
fabule et se montre en tout cas inévitablement
prisonnier, sinon de ses intérêts, du moins de ses
propres fantasmes, je ne pouvais compter beaucoup
sur elles. En effet, les écrits de ce genre composés
à cette époque dans cette région sont fort peu
nombreux. Le Mâconnais et ses abords appartiennent à cette partie méridionale de la Gaule où
les greffes culturelles implantées par les Carolingiens ont moins bien pris; l'histoire et la chronique
sont demeurées là des genres mineurs. Peu
d'hommes d'église se sont préoccupés de consigner
dans les marges des calendriers, dont les communautés religieuses se servaient pour ordonner les
liturgies en faveur des défunts, les faits qui leur
paraissaient notables, la mort d'un pape, une épi-
démie, la chute d'un clocher foudroyé, l'écho de
telle victoire, une vendange exceptionnelle, encore
moins de relier les uns aux autres ces faits éparpillés
pour composer, sur un modèle emprunté à la littérature latine classique, une *historia*. Le peu que
je pus recueillir vint encore de Cluny.

Dans le grand monastère, à la mort d'un abbé,
on s'employait à ce que sa mémoire fût célébrée

et la sainteté de cet homme reconnue; plusieurs relations de sa vie étaient écrites à cette fin, et ces biographies apprennent beaucoup. Toutefois, elles ne contiennent presque rien qui répondît à mes curiosités d'alors, car elles évoquent surtout la surnature ou bien une société particulière, celle des moines, enfermés dans leur cloître et dans leurs psalmodies, un monde à part, volontairement coupé de celui que je tentais d'apercevoir, et dont j'avais décidé, imprudemment, de ne pas m'occuper. J'aurais pu tirer davantage de l'œuvre d'un religieux de la congrégation clunisienne, Raoul, surnommé le Glabre, des cinq livres d'*Histoires* qu'il dédia, au milieu du XIᵉ siècle, à l'abbé de Cluny Odilon. Très ouvert, lui, sur le monde, aventureux et d'une lucidité remarquable, Raoul avait beaucoup regardé, beaucoup écouté, beaucoup retenu. Mais lorsqu'il mit en ordre ce qu'il avait appris des événements de son temps, relatant meurtres, pèlerinages, famines, constructions d'églises, étoiles tombant du ciel, avènement ou décès des dirigeants de la chrétienté, c'était dans l'intention d'y faire apparaître la volonté de Dieu, sa colère ou sa bienveillance, mystérieusement exprimées par ces accidents venus rompre l'ordre des choses. Le réel de la vie sociale ne se révèle clairement dans ce récit que par éclats fugitifs. Quant à la déceler sous le couvert du fantastique ou dans les interstices du non-dit, je n'y songeais pas. Les historiens, à l'époque, n'avaient pas encore découvert l'intérêt d'interroger de cette façon les témoignages de ce type. Je comptais beaucoup sur les écrits de l'abbé Pierre le Vénérable, postérieurs d'un siècle environ aux histoires de Raoul. Je retins de sa *Correspondance* ce qu'il dit des problèmes d'administration qu'il eut à résoudre et de ses démêlés avec les hobereaux du voisinage ou avec les usuriers juifs. J'espérais découvrir aussi un peu du tissu social dans un autre ouvrage, ce traité *Des merveilles,* où Pierre a rassemblé des anecdotes édifiantes dont la plupart des protagonistes sont présentés comme appartenant à la société locale. Ils ont en vérité fort peu de rapport avec le monde présent. Ils gesticulent sur une estrade tout envahie par les brumes de l'au-delà, inactuelle, où l'auteur fait s'agiter ces marionnettes pour soutenir un discours sur le ciel et l'enfer et sur la nécessité de préparer ici-bas le salut de son âme. Cette mise en scène, comme celle de Raoul, apporte peu de lumière sur les comportements vécus, mais elle apprend beaucoup des attitudes mentales, si bien que ces deux textes sont devenus pour moi des documents de toute première valeur. En 1944, je n'en discernais pas la richesse. Je m'approchais de l'histoire sociale comme on s'approchait à l'époque de l'histoire économique, en m'appuyant sur le sens extérieur, apparent du document, et sans me douter qu'il pouvait en receler d'autres.

IV

Le traitement

D'ailleurs, d'une manière générale, j'étais assez mal armé pour traiter le matériau brut que j'avais accumulé. A qui voulait devenir historien, deux voies s'offraient lorsque je commençais mes études : l'une passait par l'École des chartes et formait des érudits, l'autre passait par les Facultés des lettres et formait des enseignants. La première montrait comment manier les outils de la recherche historique. La seconde enseignait à dire l'histoire plutôt qu'à la faire. J'avais choisi celle-ci.

En 1821, quand fut fondée l'École des chartes, on restaurait, on s'efforçait de réparer ce que le siècle des Lumières, par nonchalance, la Révolution, dans la volonté d'effacer toute trace de l'oppression, l'Empire, dans son souci de modernisme, avaient tour à tour abîmé. D'où le nom donné à cette école, les chartes – celle que la Monarchie venait d'octroyer, celles sur quoi avaient reposé les privilèges du clergé et de la noblesse, celles aussi, dites de franchises, qu'Augustin Thierry s'apprêtait à étudier, où la bourgeoisie conquérante voyait l'origine de ses libertés et de sa fortune. L'ordre rétabli prenait appui sur une mémoire. Il cherchait des cautions de légitimité. Dans les enthousiasmes du romantisme, il regardait vers le Moyen Age dont s'enchantait le jeune Michelet. De la nouvelle institution devaient sortir des hommes capables de reprendre le travail inauguré au XVIIᵉ, poursuivi au XVIIIᵉ siècle dans des monastères confortables par les Bénédictins. Ces religieux s'étaient donnés pour tâche d'exhumer les grimoires enfouis dans la poussière et dans l'oubli. Ils s'étaient appliqués à lire correctement les manuscrits, à les dater, à détecter les falsifications. Ils avaient mis au point les procédés de la paléographie et de la diplomatique. S'évertuant à renforcer ce qu'ils appelaient des « preuves », des documents destinés en effet, comme pour une enquête policière, à faire apparaître la vérité, ils avaient affiné peu à peu les méthodes d'une critique rationnelle des traces écrites. L'École des chartes avait recueilli l'héritage de ces pionniers de l'érudition. Elle enseignait – elle enseigne encore – excellemment les pratiques qui confèrent à l'histoire les apparences d'une science exacte. Nulle part ailleurs, pas même en Belgique, pas même en Allemagne, on ne peut mieux apprendre à apprêter la matière première que l'historien met en œuvre, à la dégager des scories qui l'enrobent, à purifier les « sources ». Tandis que des « sciences auxiliaires » de l'histoire médiévale, on ne reçoit dans les Facultés des lettres de France qu'une vague teinture. Sous la conduite de Déniau, je m'étais exercé à déchiffrer tant bien que mal une charte, de celles du moins, antérieures au XIIIᵉ siècle, dont l'écriture encore solennelle et lente ne recèle pas trop d'embûches, et j'étais à peu près capable de vérifier l'authenticité d'un acte par l'examen de ses dispositifs. A cela s'était limitée mon initiation. Je dus compléter sur le tas ce dérisoire apprentissage, en me colletant avec les textes.

Vite j'en sus assez pour reconnaître que les éditions que j'utilisais, celle en particulier dont s'étaient chargés Bernard et Bruel, tous deux chartistes, étaient fort loin d'être aussi rigoureuses et sûres que je m'attendais à les trouver. D'ailleurs, à peine m'étais-je mis au travail que je mesurai la distance entre cette vérité que l'historien pourchasse, et qui toujours se dérobe, et ce que livrent les témoins qu'il est en mesure d'interroger. Je m'aperçus qu'entre cette vérité et moi s'interposait un écran, c'étaient les sources mêmes dont je tirais mon information, si limpides, si attentivement filtrées fussent-elles. Les écrits que je commençais d'exploiter, cette masse de chartes, de notices, ces pièces de procès, ces inventaires, se rangent parmi les documents les moins suspects, les plus neutres, les plus factuels. Ils sont rarement pollués par la fantaisie de leur rédacteur, par sa passion, par sa volonté de persuader. Ce sont des outils. Ils en ont la sobriété, la franchise. La plupart ne sont pas non plus de ceux que l'on avait intérêt, à l'époque de leur confection, à falsifier. Dans leurs ateliers d'écriture, les moines du XIᵉ, du XIIᵉ siècle n'hésitaient pas à forger un acte faux pour remplacer tel titre absent de leur chartrier. En toute bonne foi d'ailleurs, presque toujours : ils étaient convaincus que cet acte avait existé, qu'il s'était égaré et qu'ils pouvaient, se référant à leur mémoire, reconstituer sa teneur sans faillir. Mais de telles falsifications concernent généralement des donations exceptionnelles, des privilèges fondamentaux consentis par de grands princes, non pas cette menue monnaie de la possession seigneuriale que les pièces transcrites dans le cartulaire de Cluny avaient fonction de garantir. Les phrases latines que j'y trouvais semblaient parler clair, et vrai. Et pourtant. Cette vérité que j'avais eu le sentiment, je l'ai dit, de toucher du doigt quand, aux archives, je caressais les beaux feuillets de parchemin que les religieux de La Ferté avaient couverts de signes, la vérité nue de la trace, de l'objet tangible, indiscutable, je la voyais s'éloigner dès que je m'approchais des mots. Car ces mots, gravés sur la peau, si parfaitement lisibles, reproduisaient en fait d'autres mots plus authentiques, plus proches de la vie et des gestes des hommes, ceux des actes dressés aussitôt après les palabres et dont le contenu avait été transposé sur les rouleaux de ce cartulaire. Or, je savais, pour avoir retrouvé les quelques originaux qui par hasard ne s'étaient pas perdus, que la transcription ne s'était pas opérée tout à fait sans bavure, que le copiste, par inadvertance ou par économie, avait omis telle formule ou tel nom, et qu'il s'était laissé aller souvent à en modifier la graphie. De presque tous les textes dont je pouvais disposer, qu'avais-je d'autre qu'une copie? Et que penser de ces copies de copies, seuls vestiges subsistant de tant de cartulaires détruits?

D'ailleurs, même quand j'avais devant moi le manuscrit d'origine, intact, que je palpais, dont je déchiffrais l'écriture, moi le premier après des siècles, comme soulevant la dalle d'une crypte inconnue, quand j'extrayais de cette « preuve », d'une indéniable sincérité, des mots, des phrases, je ne pouvais oublier que les scribes avaient employé nombre d'entre elles machinalement, par habitude, rabâchant des formules apprises, qu'ils avaient de toute façon transposé les paroles réellement prononcées lorsqu'on avait donné ce bien, établi ce contrat, débattu de ce droit, dans un langage différent, rigide, celui des notaires (nous savons bien, par l'expérience d'aujourd'hui, comme il est par nature engoncé dans son formalisme, éloigné des vivacités de l'existence quotidienne) et, qui plus est, dans une langue, le latin, non pas certes véritablement morte, mais dont nul des paysans ni même des guerriers dont ces actes étaient censés exprimer la volonté, ne comprenait le premier mot.

Or, naïvement, je prétendais entrer en communication directe avec ces guerriers, ces paysans. Je me portais à leur rencontre espérant m'approcher suffisamment au moins de quelques-uns d'entre eux pour discerner un peu les liens qui les unissaient les uns aux autres, et les rapports qu'ils avaient le sentiment d'entretenir avec le monde, visible et invisible. C'était là mon but. Atteindre par-delà huit siècles ces hommes, ces femmes. Je devais commencer par identifier ceux nommés dans les documents que j'avais rassemblés, et pour cela situer le plus précisément possible dans le temps et dans l'espace les myriades de noms propres livrés par tous ces écrits. Il me fallait en premier lieu dater ceux-ci, ce qui n'était pas facile. Rarement en effet, au Xe, au XIe siècle et dans la plus grande partie du XIIe, le rédacteur, et plus rarement encore l'archiviste qui les avait recopiés, s'étaient souciés de noter le millésime. Les traditions de chancellerie, une conception de la durée très différente de la nôtre autorisaient les plus précis d'entre eux à n'indiquer que le mois et le jour de la semaine. Souvent certes, l'acte porte mention du souverain alors régnant, de l'évêque du diocèse, ou bien de l'abbé du monastère; ce sont là repères fort utiles. Vagues cependant quand n'est pas précisée l'année du règne, de l'épiscopat, de l'abbatiat, et l'incertitude s'élargit démesurément lorsqu'il s'agit – c'était le cas le plus fréquent – de l'abbé de Cluny. Car dans ce monastère, lorsque le patron, robuste, d'une superbe longévité, vieillissant pourtant, se sentait décliner, il désignait à l'attention de ses frères le tout jeune moine dont il avait remarqué les talents et qu'il souhaitait pour successeur; étonnamment disciplinée, la communauté respectait son choix. Ceci fait qu'en deux siècles, quatre hommes seulement présidèrent successivement au destin de la grande abbaye. Ainsi, pour des centaines de titres réunis dans le cartulaire, c'est un écart d'une cinquantaine d'années qui s'étale entre la plus ancienne date possible et la plus récente. Je me suis exténué à le rétrécir, me fiant à des allusions minuscules, à la manière de composer des scribes, à la coïncidence entre tel nom d'homme et tel nom de lieu, en rapprochant des listes de témoins, en tâchant d'y repérer les mêmes personnages, progressant ainsi pas à pas par mille confrontations tâtonnantes, faute de pouvoir utiliser, puisque je ne disposais que de copie, l'un des critères les plus fiables, les allures de l'écriture. Je constatais, chemin faisant, la surprenante carence de ce Bernard, de ce Bruel; désinvoltes ou fatigués, ils avaient poussé beaucoup moins loin que moi l'exercice : le *Recueil* est truffé d'innombrables erreurs de datation. Je crois en avoir rectifié le plus grand nombre, mais je dus me tromper aussi et, quelquefois, baisser les bras, après avoir longtemps erré sans succès, à l'aveuglette, en l'absence de tout indice convaincant.

Autre casse-tête : attribuer chacun des noms propres à telle personne ou à tel lieu. En effet, presque toutes les éditions à ma portée étaient dépourvues de tables, et manquaient, pour la région où j'avais installé mon chantier, la plupart des instruments indispensables à l'érudit : ni dictionnaire topographique, ni répertoire métrologique, ni carte convenable. Mis à part les utiles catalogues publiés en annexe de sa thèse par André Déléage, ce savant qui, quelques années avant moi, avait exploré le même territoire, qu'avais-je à ma disposition? Avant tout le paysage actuel. Ces campagnes où étaient nés, où s'étaient endormis du sommeil de la paix tous les Aubert, tous les Guillaume, tous les Létaud que je désirais mieux connaître, je les ai parcourues en tout sens, dès le lendemain de la Libération. C'est un beau pays. Il m'était familier – et si Perrin m'avait mis entre les mains les chartes de Cluny, c'était aussi pour cette raison. J'en connaissais une partie « par cœur » : les collines mâconnaises où la lumière devient siennoise certains jours d'automne et dont la terre, sur quoi il m'était arrivé dans mon adolescence de dormir à la belle étoile au revers de la Roche de Solutré, sent le buis, le fer et le thym. Franchi le large découvert de prairies où coule la Saône, j'étais encore un peu chez moi : les racines de mon lignage paternel s'enfoncent, je ne sais jusqu'où, de ce côté-ci. De l'autre, vers le couchant, par-delà la ligne de crêtes, je m'étais mis, depuis peu, à connaître et à aimer des collines encore, moins râpeuses, moins herbues, celles qui entourent Cluny. Je repris donc ces routes, ces sentiers. Je jugeais nécessaire ce commerce étroit, prolongé, charnel avec la terre. J'attendais qu'il m'aidât à mieux entendre les textes que j'avais analysés la veille, à les rapprocher du vivant. Je n'ai pas poussé la charrue, ni pioché entre les rangs de vigne, mais j'ai partagé en ces temps, à l'occasion, un repas de vendanges, j'ai prêté la main au battage des blés, et je m'imaginais, naïvement encore, pouvoir entrer pour cela en connivence avec les rustres qui avaient trimé dans ces mêmes terroirs au temps où Louis VII de France venait les libérer des soudards mercenaires. Lorsque je parcourais la forêt de Chapaize, j'avais le sentiment très net de mettre mes pas dans les traces des leurs.

Il arrive que l'historien découvre inopinément beaucoup de ce qu'il cherche lorsqu'il sort de sa chambre et regarde autour de lui. J'en fis l'expérience au cours de ces tournées. J'aime les églises romanes du Clunisois. Je me souviens d'une fin d'après-midi où j'entrai dans celle, tout étroite et simple, de Taizé. Dans le chœur, quatre hommes en tunique bleu sombre psalmodiaient. Lorsqu'ils se turent, je les rejoignis, nous échangeâmes quelques mots. Celui qui paraissait les diriger m'expliqua que, de religion réformée, ils étaient venus depuis la Suisse, dans l'intention de renouer avec l'esprit de Cluny. Prenant congé, je tendis la main. Mon interlocuteur jugea, je pense, qu'il n'était pas de sa dignité de donner la sienne à un laïc, à cet individu très jeune, vêtu à la campagnarde; il la retint, la fourra dans sa manche. Je fus touché par ce geste, et si profondément que la scène n'est pas sortie de ma mémoire. Là, d'un coup, tout devint clair. Je compris ce qu'avait été l'« esprit de Cluny », ce qu'il avait représenté au XIe siècle en ce pays, de quel poids avait dû peser, étayée par une conception strictement hiérarchique de l'univers entier, la volonté de tenir son rang, à tous les degrés de l'édifice social, et je devinais à quelle distance, je ne dis pas des croquants qui cultivaient leur domaine, mais des chevaliers, des seigneurs même, leurs voisins, s'étaient tenus dans leur orgueil, du haut de leur paternalisme arrogant, et convaincus de planer à proximité des anges, les moines de ce temps, maîtres du salut par les prières qu'ils décidaient de chanter en faveur de tel ou tel défunt, et dont, de surcroît, la puissance temporelle écrasait une large part de la contrée.

Ce que je cherchais dans mes courses à travers les champs et les bois, c'était une bonne prise, concrète, sur le réel, pour m'assurer. Ce tissu élimé, plein de trous, que je ravaudais fil après fil en lisant des mots latins, il m'était indispensable de le plaquer sur un support ferme, sur cet autre document, aussi riche, d'une richesse différente il est vrai, mais lui sans lacune, déployé au grand jour, vivace, le paysage, comme on encolle sur une toile, avant qu'ils ne tombent en poussière, les fragments d'une fresque effritée. Une superposition qui me paraissait plus utile encore puisque ici la toile de fond n'est pas neutre : elle présente des reliefs, des couleurs, et je les croyais propres à raviver les aspects du voile que j'appliquais sur elle. Je n'avais pas en effet conscience assez nette des discordances entre l'état actuel du paysage et l'état ancien. Naïf cette fois encore, je tenais pour immuable ce qui avait en fait changé entre-temps, et substantiellement. Certes, aucune révolution technique n'était venue dans ces contrées transformer radicalement le système agraire et, il y a quarante ans, le réseau des chemins n'avait pas beaucoup évolué depuis l'an mil. Mais des modifications profondes avaient affecté le semis des maisons et la manière de localiser celles-ci. Je ne le soupçonnais pas. Oui, le *Merziacum* des cartulaires clunisiens, c'est bien ce Merzé, qui n'est plus occupé de nos jours que par un moulin sur la rivière de Grosne, et sur cette identification je m'appuyais quand j'essayais de me représenter les faits et gestes de cet Achard, surnommé de Merzé, à la fois chevalier et clerc, qui au début du XIᵉ siècle avait exercé dans ces parages des droits sur des paysans. Comme j'imaginais plus clairement, grimpant le coteau d'Uxelles, le Bernard, dit le Gros, qui à la même époque avait fait élever en ce point, surplombant un gué jadis aménagé pour le passage des légions romaines, une tour de bois. Mais que savons-nous de sûr pour ce temps quant à l'implantation de l'habitat et à ses formes? Les textes situent les enclos où les familles faisaient résidence dans telle *villa* et donnent à celles-ci le nom que portent encore aujourd'hui tel hameau, tel village. Mais ce mot, *villa,* que désignait-il au juste en l'an mil? Une agglomération? Ou bien un territoire? Ou bien encore un simple point de ralliement utilisé par une administration extrêmement fruste pour s'assurer quelque emprise sur une population dispersée et mouvante? A quel moment, dans ce cadre, un village, un hameau, ancêtres de ceux que je traversais au cours de mes randonnées, se sont-ils formés? L'archéologie, j'en suis sûr, pourrait apporter quelques réponses, mais en 1945, la prospection, fort active, n'avait encore substantiellement porté dans ce pays que sur l'âge du fer, le gallo-romain et le burgonde. Inconscient de ces incertitudes, j'allais de l'avant, sans hésiter. Je serais aujourd'hui beaucoup plus circonspect.

Dans les documents du XIᵉ, du XIIᵉ siècles, les individus sont désignés généralement par un seul nom, et les homonymes, Gautier, Bernard ou Josseran, se comptent par dizaines; lorsqu'un surnom leur est adjoint, pour les distinguer les uns des autres, ce n'est pas toujours le même; j'ajoute que la liberté des scribes est fort grande à l'égard de l'orthographe, tant des noms que des sobriquets, tous latinisés. Comment, au sein de ce fatras, suivre un même personnage, le rattacher à des ancêtres, à des alliés? De cet imbroglio, je ne me sortis pas sans peine. Je m'y étais enfoncé hardiment. Partant de quelques liaisons repérées par hasard entre tels noms et tels autres, je me faufilais parmi les traces enchevêtrées, je m'égarais souvent, mais voici qu'une piste s'ouvrait et, m'y engageant, je voyais parfois se mettre en place des fragments de généalogie, se dessiner les contours d'un groupe de voisins, de parents, d'une clientèle, d'une maisonnée. Les mailles d'un réseau se tissaient peu à peu où je parvenais à caser des hommes, des femmes, au moins les plus riches, ceux et celles dont la lignée avait pu donner beaucoup aux gens d'église pour le salut de leur parenté. Ainsi, le tas de noms hétéroclites s'amenuisait et je voyais émerger progressivement du désordre initial, de plus en plus nette, de plus en plus cohérente, la configuration d'une société. J'admire de loin la patience dont j'ai fait preuve en ces débuts, et plus encore mon audace.

Que dire de tous les autres mots, les noms communs, les verbes, voire les adverbes, bref du vocabulaire employé dans ces documents pour définir le statut des gens, la condition des terres, décrire le rituel des contrats, exposer les droits et les devoirs de chacun? Pour comprendre le sens de tous ces termes, j'avais entre les mains un vieil instrument très efficace, le dictionnaire de latin médiéval constitué au XVIIIe siècle par Du Cange, monument d'érudition bénédictine. En vérité, dès que je m'avançai dans ce travail fondamental, saisir la signification exacte des textes que j'avais amassés, je découvris que le plus sophistiqué des glossaires demeure insuffisant. Car ces mots, qui tous appartiennent à un langage emprunté, ne s'ajustent jamais parfaitement à la réalité dont l'homme qui les employait prétendait rendre compte. Leur sens flotte aussi parce que cette réalité, les relations de société, d'ailleurs souvent imparfaitement perçues par les contemporains, étaient elles-mêmes fluctuantes. Je devais à chaque pas m'interroger sur ce sens, l'éprouver minutieusement, en fonction du contexte, en fonction du lieu et de l'époque de la rédaction. En effet, il se modifiait, je le sentais bien, par de légers glissements, d'un atelier d'écriture à l'autre, d'une génération à l'autre, et je ne devais pas oublier non plus qu'un simple curé de village et un chanoine chargé de diriger l'école cathédrale n'employaient pas le même latin, ni le même mot par conséquent, pour désigner le même objet.

V

Lecture

Je m'arrête ici un moment pour montrer d'un peu près par un exemple comment je lisais les documents et comment se révélaient peu à peu à travers eux les linéaments d'une organisation sociale. Je prends l'un d'eux. Il figure sous le numéro 3649 dans le *Recueil* de Bernard et Bruel. C'est le fragment d'un aide-mémoire, une simple note jetée sur un bout de parchemin. Ce texte-ci n'est pas guindé dans une formule, il parle librement, directement, c'est là sa première qualité. Mais son mérite est aussi d'évoquer des aspects de l'histoire des sociétés dont il est rarement question dans le tout-venant des chartes et des notices. En revanche, il a l'inconvénient de ne porter aucun signe de datation. Me fiant à son contenu, à son ton, et le confrontant à d'autres documents, je suis certain qu'il fut écrit aux alentours de 1100. A ce moment, un moine de Cluny, l'un de ceux qui géraient le patrimoine de la communauté, dut établir de qui dépendaient un certain nombre de personnes résidant à Cluny, dans la bourgade qui se développait à la porte de l'abbaye, et dans deux localités des collines mâconnaises, Blanot et Aine, que les religieux tenaient sous leur domination. Voici les mots qu'il écrivit, tels qu'ils furent transcrits puis publiés et tels que je les avais devant moi.

3649.

NOTITIA ALTERCATIONIS PRO HOMINIBUS CLUNIACENSIBUS ET SANCTI VINCENTII MATISCONENSIS IN POTESTATIBUS DE OSANO ET DE BLANOSCO.

(Bibl. nat. cop. 36-109.)

1090, environ.

Primo venit quidam liber homo ad Osanum villam, qui cum ibi in libera voce mansisset, commendavit se senioribus ipsius ville. Contigit ut postea quædam libera femina similiter advenerit, quam predictus homo duxit uxorem, et procreatis infantibus ambo defuncti sunt. De quibus infantibus una femina venit ad Blanoscum, nomine Marchildis, aliis in Ausano remanentibus. Marchildis autem accepit maritum de Blanosco, de quo genuit infantes Guntardum et Gunterium et Ermensindam, matrem Ingelmari; et ita factum est ut inter duas istas potestates parentela dividatur.

Quidam homo, nomine Adelelmus, fuit servus Cluniaco et accepit uxorem de villa Ausanum, nomine Ausanam. Sed quia de potestate Sancti Vincentii erat, dedit pro ea duo mancipia; postea conquisierunt alodum, quem ipsa Ausana jam vetula vendidit paribus suis de villa Aiona; hereditatem suam quam habebat in Ausana similiter vendidit. Nunc vero filia ejus, cum ei servitium a Cluniaco quereretur, dixit publice quod per occasionem de matre sua transferret se ad potestatem Sancti Vincentii. Hoc legaliter probari potest.

Rainnaldus tenet jam Albertum et Fredelenum et Teodonum; isti sunt de Cluniaco.

De Aiona Rainaldus etc.......... [1].

1. Le reste de la charte est coupé.

J'apprends donc que, « en premier lieu » (le rédacteur remonte sur quatre générations l'ascendance des hommes et des femmes dont il cherche à préciser la condition; les faits qu'il rappelle en commençant ont donc eu lieu au tout début du XIᵉ siècle), « un homme de libre condition » (fort intéressante, et je la retiens soigneusement, la mention, au niveau social et à l'époque dont il était ici question, de « liberté », d'autant que de cette liberté, statut d'un bisaïeul, dérive tout le processus dont la note entend garder le souvenir) « arriva » (d'où venait ce *quidam?* Le document ne le dit pas, ne nomme pas non plus ce migrant. Dois-je penser que ses arrière-petits-enfants étaient eux-mêmes incapables de le dire? Mais je m'aperçois, à la réflexion, que je serais bien en peine de nommer trois de mes arrière-grands-pères, que j'ignore où tous les quatre sont nés. On me répondra que notre société est très fluide. Mais il semble que celle-ci, justement, l'était aussi. C'est bien ce qui me frappe ici, la mobilité de ces paysans), « dans la *villa* d'Ozan » (quantité de documents contemporains de celui-ci me persuadent qu'au seuil du XIIᵉ siècle, le mot *villa* désignait ce que nous nommons maintenant village et l'ensemble des terres que les habitants de ce village exploitaient. Ozan, situé sur la rive bressane de la Saône, n'appartenait pas aux possessions clunisiennes, mais relevait de la cathédrale Saint-Vincent de Mâcon). Cet homme s'y « établit » (au verbe latin *manere* s'attache en

effet l'idée de résidence stable; le survenant s'est
fixé en ce lieu, son errance a pris fin). Réputé « libre »
(ici le mot *vox* m'accroche. L'homme en question
en arrivant a dit : « Me voici; je m'arrête parmi
vous; acceptez-moi; mais moi je suis libre. » Il l'a
dit très haut. On l'a cru sur parole. Était-il vraiment
libre ? S'il était parti d'assez loin, qui pouvait vérifier ? Qui d'ailleurs se souciait de le faire ? Ceux qui
commandaient à Ozan avaient avantage à ne pas
lui trouver un maître. Il eût peut-être fallu le rendre.
En ce temps, la terre restait surabondante, la main-
d'œuvre rare et donc partout la bienvenue). Pourtant, l'immigrant ne put demeurer longtemps indé-
pendant; il dut se « commender », c'est-à-dire se
confier, placer sa personne sous la protection d'un
patron (et je remarque que l'auteur de ce texte
emploie, latinisé, le verbe *commendare* dont on se
servait également pour indiquer qu'un chevalier
devenait vassal d'un seigneur. Qu'il s'agît des paysans ou des guerriers, la dépendance personnelle,
cette glu qui les assemblait les uns aux autres en
petits groupes au sein de cette substance granuleuse
qu'était la société de ce temps, se coulait apparemment dans un moule identique. D'ailleurs, c'est par
le mot *seniores,* lequel appartient au vocabulaire de
la vassalité, que sont désignés les patrons à qui cet
homme, jusqu'ici sans protecteur, fit allégeance).
Ces « seigneurs du lieu » – je traduis sans hésitation
– qui tenaient la *villa,* c'est-à-dire ce terroir en leur

pouvoir, notamment sous leur juridiction, étaient, la suite du document le révèle, les chanoines de Mâcon, plus exactement ceux d'entre eux à qui cette portion de la fortune du chapitre avait été attribuée, en prébende, pour leur entretien.

Puis le texte montre que, plus tard, une femme vint d'ailleurs, protestant elle aussi de sa « liberté » (voici qui est plus inattendu : les courants migratoires n'entraînent pas que des hommes. Rien ne dit toutefois que cette femme se soit déplacée seule, de son propre gré. On peut imaginer qu'elle était fille d'un immigrant, qui la donna, pubère, à un autre immigrant). Le seul fait patent est que ce dernier prit cette « aubaine » (le terme appartient au vocabulaire de ce temps; c'est celui qui convient, il est appelé par le verbe *advenire,* « venir à », « immigrer ») pour épouse légitime *(uxor).* Il mourut après avoir engendré des enfants. Ceux-ci demeurèrent à Ozan, « manants », fixés. Tous sauf une fille, dénommée Marchilde (c'est la grand-mère du plus jeune des membres du lignage ici nommé, et son nom, le nom de cette femme, reste dans le souvenir) « qui vint à Blanot » (de nouveau, voici une fille dont on dit qu'elle a quitté sa maison, sa famille. Sans doute n'est-elle pas partie très loin : à pied, on peut aller d'Ozan à Blanot en trois, quatre heures; mais il faut traverser la Saône, et c'était à cette époque une vraie frontière; sur l'autre rive on changeait de patrie, peut-être de dialecte, en tout cas de manière de vivre, quittant une communauté de pêcheurs pour une communauté de vignerons, de bûcherons et de porchers). Dans sa nouvelle résidence, cette femme « reçut un mari » (dans cette société, une femme ne pouvait rester seule. Si elle ne demeurait pas dans sa famille, elle devait, sous peine de soulever la suspicion ou la convoitise, entrer dans une autre, par mariage. Il n'est pas interdit ici de penser que le mariage avait été décidé dans la maison de son père, que celui-ci l'avait donnée à un homme, lequel était venu la chercher dans son village d'origine, pour la mener chez lui, en cortège. La migration cesserait alors d'être aussi surprenante. Quoi qu'il en soit, ce document porte témoignage de l'exogamie en milieu rural. De l'isogamie également : l'époux et l'épouse sont de même statut). Le mari en effet est dit *de* Blanot (les articles comptent aussi. L'emploi de celui-ci signifie que cet homme lui-même était un dépendant. D'un patron différent, puisque Blanot était sous la coupe de Cluny, et Ozan sous la coupe de Saint-Vincent de Mâcon, mais de même condition que le père de sa femme). Le couple eut trois enfants, dont une fille, mère d'Engeumier. Cet homme, descendant par les femmes des deux immigrants inconnus qui s'étaient unis par mariage un siècle plus tôt à Ozan fut peut-être bien celui qui vint réciter sa généalogie, expliquer par elle pourquoi la « parentèle s'était partagée entre ces deux *potestates* » (de ce nom commun, qui signifie seulement « pouvoir », j'ai vu se préciser le sens peu à peu au cours de mon enquête : dans cette région, vers 1100, les scribes l'emploient pour désigner le pouvoir de justice et de paix pesant sur les hommes et les femmes installés dans un certain territoire et sur ceux qui le traversent, c'est-à-dire l'un des cadres fondamentaux où s'ordonnaient alors la société, la seigneurie).

L'aide-mémoire évoque ensuite un autre cas de partage qui résulte également d'un mariage. L'époux ici, l'ancêtre, habitait Cluny. Cet Aleaume est dit *servus*. Esclave ? Je relève le mot. J'hésite encore sur sa signification. Mais je retiens qu'il vient, dans le contexte, en opposition au mot *liber.* J'en déduis que, parmi les habitants de cette bourgade et des villages de la région, tous sujets d'un « seigneur du lieu », on distinguait alors au moins deux conditions personnelles. Le paysan de Blanot dont parle la première partie de la notice, le mari de Marchilde, était lui aussi dépendant du monastère, mais d'une dépendance de nature différente, qui ne justifiait pas qu'on le rangeât parmi les *servi,* ce que le moine auteur du texte n'aurait pas manqué, sans cela, de faire. Aleaume, ce célibataire-ci, était tenu plus serré – et sans doute par naissance, car le mot *servus* emporte l'idée d'une sujétion héréditaire – bien que vivant dans un bourg, une de ces agglomérations qui par leur structure pré-urbaine se distinguaient à l'époque nettement, dans l'esprit des gens, des villages ou des hameaux. Qui disait bourg, disait bourgeois, ce qui, dans l'esprit cette fois des historiens, évoque immédiatement franchise, c'est-à-dire indépendance. Mais une société n'est pas, Marc Bloch l'a dit, une figure de géométrie. Ce texte nous le rappelle, qui emploie le vocabulaire de la servitude à propos de l'habitant d'un bourg et qui ne l'emploie pas à propos des habitants des villages de Blanot ou Ozan. A Ozan, ce *servus* est allé prendre femme. Est-ce par hasard que cette localité reparaît? Ou bien par l'effet de courants d'échanges, de relations de parenté dont on ne sait rien, qui, dans ce milieu naturellement exogame, auraient orienté les transactions matrimoniales? L'épouse qu'il reçoit est soumise au seigneur du lieu de sa naissance, c'est-à-dire à saint Vincent, patron de la cathédrale, personnage invisible mais très sensible, vrai détenteur du pouvoir. Pour être prise, elle doit être déliée, acquise. Saint Vincent ne la donne pas, il la vend, car, par ce mariage, il perd cette femme : éloignée de la *potestas,* du territoire où s'exerce sa puissance, peut-être ne cesserait-elle pas de lui appartenir, mais elle ne le servirait plus, concrètement. Pour cette raison, le droit autorise les maîtres, les patrons, à percevoir un dédommagement quand la fille d'un de leurs dépendants, accordée par ce père à un époux lointain, quitte l'espace seigneurial. Aleaume paie la taxe. Pour cette Ozanne, il donne, dit le texte, deux *mancipia*. Sur ce terme, je bute. Non pas sur son sens : aucun doute, il désigne lui aussi des esclaves. Dois-je supposer qu'une paysanne, dépendante, valait si cher ? Qu'Aleaume, lui-même *servus,* possédait des esclaves, ou que son maître les lui bailla pour que cette union se conclue ? J'ai peine à l'admettre. Une faille s'ouvre dans le témoignage, et je ne sais comment la combler. Ne serait-ce pas une faute de transcription ? Ce que je lis, imprimé dans le *Recueil des chartes de Cluny,* est en fait une copie, qui fut exécutée entre 1770 et 1790 par Lambert de Barive. Sous l'impulsion de Bertin, ministre de Louis XVI, la commission Moreau avait alors été chargée de recueillir les sources de l'ancien droit français à travers les bibliothèques du royaume. Celle de l'abbaye de Cluny fut confiée à Lambert, avocat à Autun, qui fit un excellent travail. Mais il a pu tomber sur un trou dans le parchemin, trébucher sur une graphie défectueuse, s'empêtrer dans une abréviation. La vérification est impossible car la pièce qu'il avait sous les yeux a disparu quand les archives clunisiennes furent dispersées et jetées au rebut. La lacune est à jamais béante.

La suite fait apparaître les droits des sujets de la seigneurie sur la terre. Aleaume et son épouse ont acheté ensemble un « alleu », un bien foncier libre de toute sujétion. A la fin de sa vie, veuve sans doute, Ozanne vendit ce fond à « ses pairs », des gens d'une condition égale à la sienne, qui résidaient dans le terroir d'Aine, possession de Cluny. Son héritage, ce qui lui venait de ses parents à Ozan, possession de saint Vincent, elle le vendit aussi. Cette femme a donc disposé de ses biens librement, et je suis, une fois de plus, ébranlé dans ce que je croyais savoir. En effet, son mari, Aleaume, si l'on prend au sens le plus fort le terme *servus* qui sert à caractériser son statut, appartenait à Cluny corps et biens. Or rien ne suggère que Cluny ait exercé un droit sur le bien qu'il avait acquis avec sa femme. Ni sur la personne de celle-ci. Elle n'était pas tombée par son mariage sous la domination des moines. Ce point est parfaitement clair : lorsque le « service », c'est-à-dire l'ensemble de prestations et de gestes rituels par quoi s'exprimait la soumission et qui découlait, non seulement de la servitude, mais du lien de dépendance noué par la commendise, fut exigé de sa fille par les administrateurs du bourg de Cluny, où cette femme vraisemblablement était née d'un père « esclave », où vraisemblablement aussi elle résidait encore, cette femme dit « publiquement » (le mot est fort : il révèle que ne s'était pas effacée la distinction entre le public et le privé, que l'on tenait encore pour publiques les instances judiciaires devant qui comparaissaient les gens réputés « libres », par opposition à d'autres, asservis), cette femme dit donc que « du fait de sa mère », de la condition de sa mère, elle échappait au pouvoir de saint Pierre, patron de l'abbaye et seigneur de Cluny, et qu'elle se transportait sous celui de saint Vincent, seigneur d'Ozan, plus éloigné et dont la puissance était moins pesante. Ceci, dit le texte, fut prouvé conformément à la « loi ».

Le paragraphe suivant, tronqué, n'apporte, hélas, rien de plus. Du moins ai-je récolté une grosse gerbe d'informations sur la puissance seigneuriale et sur le statut des sujets, des « manants » comme dit le texte : deux généalogies paysannes, courtes, incomplètes, néanmoins très précieuses, car rarissimes; les preuves d'une mobilité que je ne soupçonnais pas dans ce milieu rural, tenu pour inerte, engoncé dans les routines, « attaché à la glèbe » et que l'on voit en fait ici, au XIᵉ siècle, brassé par les migrations, les mariages à distance, ainsi que par les achats, les ventes; autre surprise enfin, ce droit dont jouissaient alors, en même temps que d'une étonnante liberté d'action, les femmes. A lire ce seul document, quantité de questions se levaient. Quant à la manière, par exemple, dont le statut, l'héritage, les devoirs envers un maître se transmettaient de génération en génération dans les seigneuries. Quant au constant dérangement provoqué entre seigneurs et sujets par la fluidité dont je parlais à l'instant. Quant aux procédures de justice, au respect, lui aussi étonnant, des règles coutumières, aussi fermes que des lois, et devant qui les plus puissants s'inclinaient. Demeuraient aussi de grandes nappes d'obscurité : comment découvrir sur quoi l'on se fondait à l'époque pour attribuer à tel homme un qualificatif, ce terme latin très ancien – quel mot du langage courant traduisait-il ? – évoquant la servitude et couvrant de honte celui qui le portait, pour le distinguer ainsi de tel autre, son voisin, de qui la « liberté » était par chacun reconnue ? J'étais sommé de pousser plus loin, de solliciter d'autres « preuves », de confronter à d'autres fiches toutes celles que je venais de griffonner au cours de cette attentive lecture.

*
* *

Car mes outils ne différaient guère de ceux qu'avaient employés au XVIIᵉ siècle les Bénédictins : une plume, une loupe, des fiches. Pendant deux, trois ans, je ne sais plus, j'accumulai par dizaines de milliers de petits rectangles de papier que j'entassais dans des boîtes. J'en sortais quelques-uns de temps en temps que j'étalais sur la table comme pour d'extravagantes réussites, attendant qu'une révélation surgisse de leur rapprochement. Cette quête du sens est un jeu captivant dont les charmes s'apparentent à ceux de l'exploration, de la perquisition, voire de la divination, et je comprends que l'on s'y laisse prendre. Pour moi, ce fut la part fastidieuse de l'entreprise. Parfois pourtant une bouffée de satisfaction venait me consoler de mes peines : je voyais une vingtaine de pièces éparses s'emboîter les unes dans les autres, et d'un coup tout un pan du puzzle se recomposer. Mais que d'hésitations, et d'erreurs aussi. On les voit apparaître depuis que le groupe de recherche de Münster en Westphalie a traité par le *computer* ce qui fut mon principal vivier, le *Recueil des chartes de Cluny* et, lisant les historiens qui ont utilisé ces données nouvelles, telles Caroline Bouchard ou Barbara Rosenwein, je rougis devant mes bévues.

Depuis dix à douze ans – et c'est heureux –, dans les fulgurants progrès de la technique, l'usage de la machine à classer s'est répandu parmi les médiévistes français. On me dit que plus des trois quarts d'entre eux ont acquis le matériel dont il ne paraît plus normal, maintenant, de se passer. Je n'ai pas suivi le mouvement, retenu par l'horreur que j'ai pris du clavier depuis que j'ai dû taper de deux doigts les quelque mille cinq cents feuillets de la thèse dont je parle. Je compte ainsi, obstiné, parmi les derniers historiens européens de l'ère pré-informatique. Ça n'est pas que je mette en doute les avantages immenses que procurent ces instruments. Ce sont d'admirables fichiers, des réserves de mémoire, infaillible, sélective, toujours prête à répondre. Mais ce ne sont que des fichiers. Le danger serait d'attendre d'eux davantage et de se laisser prendre aux apparences de scientificité qu'ils procurent. Ils classent, ils répartissent, ils comptent. Alfred Sauvy nous met en garde : « Plus nous comptons, plus nous comptons mal, parce que nous ne comptons pas tout. » Comment pourrions-nous tout compter, nous médiévistes, qui n'avons guère à compter que des mots, des mots que nous trouvons dans des lambeaux de textes. L'usage de l'ordinateur aurait, évidemment, changé du tout au tout l'allure de mon labeur. J'aurais avancé plus vite, et plus sûrement, dans les besognes préparatoires. Mais ce décorticage achevé, je me serais trouvé devant les mêmes questions, obligé pour y répondre de revenir au texte. De me détourner alors des parcelles émiettées qu'en livre la machine, pour lire ce texte à nouveau, le lire et le relire dans la cohérence de son propos et de son sens. Car c'est au cours de ces lectures que des mécanismes infiniment plus déliés que l'ordinateur le plus mirobolant entrent en jeu. Dont ceux de l'imagination, inévitable, indispensable magicienne.

VI

Construction

Ainsi s'était affiné le matériau, jour après jour, pièce à pièce. J'avais décapé, dégrossi, taillé, retaillé, préparant attentivement l'assemblage. Je pus – c'était en 1948, il me semble – me mettre à bâtir. Michelet l'a dit : « Pour retrouver la vie historique, il faudrait patiemment la suivre dans toutes ses voies, toutes ses formes, tous ses éléments. » Je m'étais efforcé de le faire. J'avais un fichier fief, un fichier défrichement, un fichier justice, etc. « Mais, ajoute Michelet, il faudrait aussi, avec une passion plus grande encore, refaire, rétablir le jeu de tout cela, l'action réciproque de ces forces diverses, dans un puissant mouvement qui deviendrait la vie même. » Je devais tenter cette opération de synthèse, et je pris alors conscience vraiment de ce qu'est le métier d'historien. Je vis s'opérer l'étrange transmutation, cette sorte d'alchimie qui fit s'esquisser, puis se préciser, se colorer peu à peu, prendre toujours plus de corps, par le rapprochement, le mélange, par l'emboîtement d'innombrables fragments de connaissance extraits de tous les volumes, de toutes les liasses où j'avais fouillé, la figure convaincante d'un organisme complexe, en développement, vivant, la figure d'une société. Je l'avoue : cette seconde phase de mon travail m'apparaît moins clairement. La première, il est vrai, exigeait avant tout de la lucidité, celle-ci plutôt de la « passion », comme dit Michelet. Je me souviens cependant, passant d'un registre à l'autre, m'être senti beaucoup plus à l'aise dès qu'il ne s'est plus agi que de mettre en forme. Aux exercices de la rhétorique, de la dialectique, l'université, je l'ai dit, formait mieux qu'aux techniques de l'érudition. Mes maîtres, Léon Homo, Déniau, Henri-Irénée Marrou, surtout, l'année où je préparais l'agrégation, m'avaient enseigné toutes les recettes qui aident à composer une démonstration claire, et d'abord à en construire le plan. Quant à l'agencement des mots, le commerce assidu que, depuis mon adolescence, j'entretenais avec Stendhal et Voltaire, Saint-Simon et Chateaubriand me servit. Je suis grand lecteur et porté par tempérament à savourer un texte non seulement pour ce qu'il dit, mais pour la manière dont il le dit.

Je me mis donc à l'écriture. Lorsque j'écris, je travaille en deux temps. Je commence par édifier soigneusement la charpente. Au départ, elle n'est qu'un échafaudage léger, mais qui revêt dans leur ensemble les formes du bâtiment futur, car j'ai besoin de me représenter d'emblée celui-ci dans son entier, d'en poser les grandes masses, comme la plupart des peintres ont besoin de couvrir toute la toile avant d'entreprendre l'ouvrage. Ceci fait, je raffermis à petits coups la trame initiale, j'en démultiplie chaque travée, je pousse dans le détail jusqu'à dresser un treillis serré où chaque argument, chaque idée viendra s'établir à sa place dans le développement logique de la rédaction. Je m'attelle à celle-ci lorsque le bâti semble assez solide pour soutenir convenablement une parure. J'en dispose alors les éléments comme les pièces d'une marqueterie, ou plutôt comme ces panneaux de verre que l'on accroche aux poutrelles de métal sur les constructions à la Mies van der Roe. Cette tâche de finition est la plus délicate. Je suis très exigeant. Autant je me sens fringant durant la phase intermédiaire, autant je peine dans la phase ultime. Mon travail s'achève comme il a débuté, dans l'incertitude et les tourments.

*
* *

Dans son journal, Delacroix a noté, le 5 avril 1850 : « La tâche de l'historien me semble la plus difficile; il lui faut une attention soutenue sur mille objets à la fois, et à travers les citations, les énumérations précises, les faits qui ne tiennent qu'une place relative, il lui faut conserver cette chaleur qui anime le récit. » Je pense comme lui : les faits sont relatifs; essentielle au contraire l'« animation », par conséquent cette « chaleur » que l'historien, à vrai dire, ne « conserve » pas (elle s'est entièrement dissipée des traces qu'il examine), mais qu'il réveille de son souffle et doit aviver sans cesse. C'est là sa tâche. En tout cas, l'histoire nouvelle, l'histoire de Lucien Febvre, de Marc Bloch, l'histoire de Déniau, celle que je voulais à mon tour écrire, se l'assignait. Ce parti pris relativise non seulement les faits, mais la sacro-sainte objectivité du positivisme. Évidemment, comme l'ethnologue questionnant un informateur, l'historien, lorsqu'il scrute ses sources, est tenu de s'effacer autant qu'il peut, de n'être plus qu'un regard neutre. Il n'y parvient jamais pleinement, on s'en est rendu compte, je pense, en lisant tout à l'heure mes propos sur ma façon de lire un texte. Lorsque j'abordai les chartes de Cluny, ma tête était pleine d'idées préconçues. Informé du travail de mes devanciers et de mes compagnons de route, j'avais déjà tracé mon programme, dressé une liste de questions. En dépendit pour une large part ce que je récoltais dans les documents : on trouve en effet d'abord ce que l'on est parti chercher. Voici d'ailleurs pourquoi l'histoire constamment se renouvelle. A moins de s'en aller avec les archéologues fouiller le sol, à moins de tomber là par hasard sur un gisement de vestiges insoupçonnés, le médiéviste a fort peu de chance de découvrir, dans les archives et les bibliothèques de France dont les rayons sont depuis longtemps ratissés, des documents qu'aucun savant n'ait étudiés de près avant lui. Et pourtant, la recherche continue, toujours féconde. Parce que les historiens ne sont pas des détecteurs inertes, parce qu'ils lisent d'un œil neuf les mêmes documents, se fondant sur des questionnaires qui, eux, s'ajustent constamment. La plupart des trouvailles procèdent de ce ferment de fantaisie qui porte l'historien à s'écarter des chemins trop suivis, de son tempérament. C'est-à-dire de cette personnalité que la stricte morale positiviste entendait neutraliser.

Qu'on ne m'imagine surtout pas répudiant cette morale : c'est elle qui confère à notre métier sa dignité. J'en appliquai scrupuleusement les préceptes lorsque je traitais les matériaux. Je m'étais alors évertué à vérifier, à clarifier les témoignages, à ne pas les dénaturer. J'avais pris soin de les considérer tous, et dans leur intégralité, de ne rien écarter, de maintenir chacun d'eux à sa place, m'interdisant impérativement le moindre retranchement, le moindre coup de pouce, ces menues libertés qu'on est fortement tenté de prendre afin que les bribes éparses de l'information viennent s'accorder plus étroitement à ce que l'on a préjugé d'en faire. Mais à peine commençai-je à assembler ces fragments que les insuffisances du matériau se révélèrent : il était incomplet, friable, disparate. Je ne pouvais me dispenser de rectifier ici et là quelques arêtes, je devais lier les unes aux autres ces pièces, et surtout combler les vides qui les séparaient. Il me semblait dès lors avoir droit à l'indépendance du maître d'œuvre. Si notre morale m'imposait de maîtriser mes humeurs, elle ne pouvait légitimement me retenir de tirer parti de ma culture. Ni de mon imagination, à condition que ma raison la gouvernât fermement.

Si j'en étais resté aux événements, si je m'étais contenté de reconstituer des intrigues, d'enchaîner des « petits faits vrais », j'aurais pu partager l'optimisme des historiens positivistes d'il y a cent ans, qui se croyaient capables d'atteindre, scientifiquement, à la vérité. En effet, je peux établir par exemple, preuves en main, que le 27 juillet 1214 et non pas le 26, ni le 28, deux armées s'affrontèrent dans la plaine de Bouvines, et même qu'il faisait chaud ce jour-là, que les moissons n'étaient pas achevées et que Renaud de Dammartin fut ramené captif dans un chariot. Tout cela est vrai, incontestablement. Mais si, historien de la société féodale, je n'entends pas limiter ma curiosité à ces détails, si je cherche à comprendre ce qu'était une bataille, la paix, la guerre, l'honneur, pour les combattants qui la livrèrent, il ne me suffit pas de mettre en avant les « faits ». Je dois m'efforcer de regarder les choses avec les yeux de ces guerriers, je dois m'identifier à eux, qui ne sont plus que des ombres, et cet effort d'incorporation imaginaire, cette revitalisation exigent de moi que je « mette du mien », comme on dit. Du subjectif. L'histoire d'aujourd'hui renonce à la quête illusoire de l'objectivité totale, non point par l'effet du flux d'irrationalité qui envahit depuis quelque temps notre culture, mais pour deux raisons principales. Lorsqu'il lui arrive de s'intéresser à l'événement, elle le considère différemment. Elle fixe son attention sur le fond d'où il semble surgir et qu'il ébranle, c'est-à-dire sur des ensembles flous qui n'ont pas de limites précises. Elle tend par là à vouloir traiter de tout, à étendre indéfiniment son champ, et Michel Serres nous avertit qu'elle cesse pour cette raison d'être une science exacte. D'autre part, examinant le mouvement des structures au sein d'un système, l'histoire nouvelle n'est plus à même de discerner des rapports de causalité simple comme il s'en établit entre les événements. Les amples et souples courants qui entraînent obscurément, en profondeur, ces déplacements procèdent de ces « actions réciproques » dont parle Michelet, de corrélations inextricables, intermittentes entre des phénomènes imparfaitement circonscrits et qui se diluent au sein de chronologies indécises. La notion de vérité en histoire s'est modifiée parce que l'objet de l'histoire s'est déplacé, parce que l'histoire désormais s'intéresse moins à des faits qu'à des relations. Une phrase m'a frappé, par le jeu des mots, lisant *Le Monde* du 25 mai 1989 (il était question d'une « affaire », l'affaire Pechiney – qui s'en souvient ? –, l'un de ces accidents événementiels dont on mesure justement l'insignifiance à ce qu'ils sortent des mémoires en quelques semaines) : « Les policiers cherchaient des faits, ils trouvèrent des relations. » Aussitôt désorientés : les méthodes qui leur étaient familières n'étaient plus de mise. Ils durent se fier à leur flair pour ne point se perdre tout à fait dans l'insaisissable.

Je ne mis pas longtemps, construisant le bâti de mon discours, à m'apercevoir qu'il me fallait, de même, me fondant sur des impressions plus que sur des certitudes, choisir entre plusieurs interprétations. J'ai le souvenir très net de m'être un jour trouvé devant deux pistes. C'était au moment où je m'interrogeais sur la servitude, la dépendance paysanne, où je cherchais à mettre en rapport l'évolution de ces liens avec les changements qui ont affecté au cours du XIᵉ siècle l'ensemble de la société. Je trouvais dans mes fiches autant de raisons, et aussi persuasives, de m'engager sur cette voie-ci plutôt que sur celle-là. Les deux itinéraires divergeaient à peine, certes, mais ils divergeaient un peu. J'hésitai longtemps, en quête d'une recharge d'arguments, si légère fût-elle, qui fît pencher d'un côté le plateau de la balance. En fin de compte, je tranchai. Dois-je dire au hasard? Ma décision fut prise posément et se justifiait sans doute, puisque le parcours que j'empruntai s'avéra ne troubler en rien les ordonnances du circuit général, et je pus vérifier plus tard que l'autre m'eût conduit dans une impasse. Mais si j'avais mal jugé, il eût suffi de cet écart, au départ quasiment nul, pour gauchir tout le système. Je le construisais en effet en superposant des hypothèses. Sur le modèle initial, un autre allait s'emboîter, puis un autre. Comment plus tard, lorsque le revêtement serait plaqué sur la charpente, localiser le fléchissement, le redresser?

Dès que je m'appliquai à « rétablir le jeu » des divers « éléments » que j'avais séparément étudiés, dès que j'élaborai le plan de mon ouvrage, il m'apparut donc que l'historien est obligé de faire usage de sa liberté, que cela ne va pas sans risque, mais qu'il est forcé de prendre parti et que par conséquent son discours n'est jamais qu'une approximation où s'exprime la réaction libre d'une personne devant les vestiges éparpillés du passé. Or je n'en étais encore qu'à composer et, dans cet exercice, la raison, les mécanismes logiques l'emportent, le sens de l'équilibre et des valeurs, l'esprit de géométrie si l'on veut. Qu'en serait-il lorsque j'arriverais à la rédaction? Ne serais-je pas plus dangereusement menacé de m'écarter de la vérité, puisque dans l'acte d'écrire, c'est la sensibilité qui prend le pas? En tout cas la mienne. Car je n'entendais pas seulement livrer l'inventaire de ce que j'avais trouvé en puisant dans la documentation, dresser un simple procès-verbal, le compte rendu de mon exploration. Je me proposais aussi de faire partager aux lecteurs une émotion, celle que j'avais moi-même éprouvée quand, fouillant parmi les traces mortes, j'avais cru sentir se réveiller des voix éteintes.

Henri Gouhier rapproche le métier de l'historien de celui du metteur en scène. Le plateau construit, le décor planté, le livret composé, il s'agit de monter le spectacle, de faire passer le texte, de lui donner vie, et c'est bien l'essentiel : on s'en persuade quand, après avoir lu une tragédie, on l'entend, on la voit représentée. A l'historien revient cette même fonction médiatrice : communiquer par l'écriture, le feu, la « chaleur », restituer « la vie même ». Or, ne nous méprenons pas, cette vie qu'il a mission d'instiller, c'est la sienne. Il y parvient d'autant mieux qu'il est plus sensible. Il doit contrôler ses passions, mais sans cependant les juguler, et il remplit d'autant mieux son rôle qu'il se laisse, ici, là, quelque peu entraîner par elles. Loin de l'éloigner de la vérité, elles ont chance de l'en approcher davantage. A l'histoire sèche, froide, impassible, je préfère l'histoire passionnée. Je ne suis pas loin de penser qu'elle est plus vraie.

*
* *

Depuis quelque temps, j'emploie de plus en plus le mot « je » dans mes livres. C'est ma façon d'avertir mon lecteur. Je ne prétends pas lui transmettre la vérité, mais lui suggérer le probable, placer devant lui l'image que je me fais, honnêtement, du vrai. Dans cette image entre pour une bonne part ce que j'imagine. J'ai veillé, toutefois, à ce que les

souplesses de l'imaginaire restent solidement arri-
mées à ces crampons dont, au nom d'une morale,
celle du savant, je n'ai manipulé, je n'ai négligé
aucun, et que j'ai tous très minutieusement éprouvés
afin d'en vérifier la fermeté. Je parle des documents. Mes « preuves ».

VII

La thèse

Soutenir une thèse de doctorat ès lettres consiste à se présenter cérémonieusement devant cinq ou six mandarins juchés sur une estrade, à déposer sur la petite table où l'on s'assied, deux, trois, voire quatre épais volumes, à en résumer brièvement le contenu, anxieux, redoutant la question qui vous désarçonnera, tournant fébrilement dans sa tête d'éventuelles réponses que l'on souhaiterait élégantes et futées, puis à écouter tour à tour chacun de ces juges qui, savourant la revanche qu'ils prennent ce jour-là sur la jeunesse enfuie, s'évertuent à briller devant l'assistance aux dépens du candidat, cherchant les failles d'un texte qu'ils ont généralement lu, il faut le dire, attentivement, et qui, s'ils n'en trouvent pas, rabattent leurs critiques sur la « forme » ou sur les lacunes de la bibliographie, enfin, au terme d'une après-midi interminable, à s'entendre, dans un brouillard de fatigue, déclaré docteur et à offrir alors à boire aux camarades. Il s'agit là d'un rite initiatique assez cruel, au bout de quoi l'« apprenti » ayant présenté son « chef-d'œuvre » est reçu parmi les « maîtres ». J'emploie à dessein le vocabulaire des corporations médiévales, car leurs usages se sont de nos jours conservés mieux que partout ailleurs dans ce milieu éminemment conservateur et routinier qu'est l'université.

La thèse de doctorat fut sévèrement attaquée en 1968, non sans de fortes raisons. La préparer oblige à se cloîtrer, solitaire, des années durant, penché sur un travail d'où le chercheur, s'il ne s'est pas perdu en route, risque de sortir épuisé. Il faut en effet de la concentration, et du temps, beaucoup de temps : j'ai pu me tirer d'affaire en sept ans seulement, mais parce que j'étais établi dans un poste d'assistant et que mon patron, bienveillant, n'exigeait rien de moi. En outre, le titre que l'on décroche en fin de course, dans ma jeunesse fort utile, avait cessé de l'être en 1968 et ce fut l'une des raisons les plus déterminantes de la crise universitaire : il ne permettait plus de monter en grade. A quoi sert aujourd'hui d'être docteur d'état ? J'admire ceux qui ne baissent pas les bras. Ceci dit, les vertus de la thèse à l'ancienne sont évidentes.

L'effort de volonté et de persévérance qu'elle requiert est, sur un plan supérieur, payant. En ce qui me concerne, du livre que j'ai achevé de rédiger en 1951 et que je défendis en Sorbonne l'année suivante, un livre relativement court, mais, de tous ceux que j'ai écrits, celui que j'ai élaboré avec le plus de patience, le plus de soin et de rigueur, est sorti, je m'en aperçois, tout ce que j'ai produit par la suite.

Je proposai à mes juges un modèle assez simple. Dès mes premiers contacts avec les chartes de Cluny, il m'était apparu que la nature de ces actes se modifie radicalement entre 980 et 1030. Le rejet des anciennes formules, les hésitations des scribes, leur effort pour bricoler de nouveaux cadres ne procédaient-ils pas, avec quelque retard sans doute, d'une transformation profonde des rapports sociaux ? Partant de cette hypothèse, je m'appliquai à découvrir en quoi consistait ce changement et à l'expliquer. Naturellement, comme tous les historiens à l'époque, je crus pouvoir le faire par l'économie. Or, je ne trouvai rien, à la date où je repérai la transformation des formulaires, qui se modifiât sensiblement en ce domaine. En vérité, dans les sources, les indices concernant les phénomènes économiques étaient rares, mais cette rareté même parmi tant d'innovations ne signifiait-elle pas l'atonie. Rien sur la monnaie, le commerce, presque rien sur la gestion des exploitations agricoles. Rien en tout cas qui permît de mettre en relation les bouleversements de la configuration sociale attestés par la forme des actes avec des ruptures dans les modalités de la production et des échanges. Je discernais bien dès l'an mil l'existence d'un bourg à la porte de l'abbaye de Cluny, mais les premiers signes évidents d'une croissance, telles la diversification des instruments monétaires, l'apparition de forgerons en milieu rural ou l'extension de quartiers neufs dans la cité de Mâcon, au pied du promontoire où s'élevait le château du comte et, le long de la rivière, aux abords de la cathédrale, du cloître des chanoines et de la juiverie, ne se montraient qu'à la fin du XIᵉ siècle, cent ans après la prise en compte par les rédacteurs de chartes de changements affectant les relations de société. Déçu, je regardai du côté des institutions. C'est-à-dire, parce que j'étais nourri de la lecture de Marc Bloch, vers le fief et le servage. Du fief, je ne découvrais, avant le temps de Philippe-Auguste, que des traces infimes. Quant aux termes utilisés pour distinguer des autres les asservis, les modifications que j'observais dans leur emploi ne coïncidaient pas non plus avec celles dont témoignait l'abandon, autour de l'an mil, des pratiques traditionnelles de chancellerie. Je voyais ces termes disparaître des textes vers 1105, reparaître au début du XIIIᵉ siècle, et cette constatation contredisait d'ailleurs ce que répétaient alors tous les médiévistes, que je mis fort longtemps à convaincre. Du moins, ce fut elle qui m'orienta vers un terrain plus fécond. Je voulus comprendre comment s'exerçait la puissance des riches sur les paysans.

Quatre ans, je crois bien, après le début de mes recherches, et après avoir esquissé un plan d'ensemble, j'ébauchai à partir de mes fiches, pour me faire la main, mais aussi pour fournir un témoignage qui me valût d'être inscrit sur la liste d'aptitude aux fonctions de professeur de faculté (liste très courte, et par conséquent l'inscription, en ce temps, précédait de peu l'introduction dans le sérail), ce que je croyais devoir être l'un des chapitres du futur livre. Je voulais décrire comment en ces parages, aux XIᵉ et XIIᵉ siècles, la justice avait été rendue. Alors, tandis que je composais cet exercice, d'un seul coup tout s'éclaira. Il se confirmait d'abord que la mutation sociale avait bien eu lieu, comme me l'avait fait soupçonner l'aspect extérieur des documents, entre 980 et 1030. Auparavant, devant les juges, les hommes se répartissaient en deux catégories bien distinctes : les « esclaves », abandonnés au pouvoir privé de leurs maîtres qui corrigeaient leurs fautes à leur guise, et les libres, les « francs », relevant des tribunaux publics. Dès les premières décennies du XIᵉ siècle, je ne voyais plus que des justices privées. Je distinguais bien toujours une ligne de partage, aussi stricte, entre les justiciables. Mais elle s'était déplacée. Elle passait désormais entre ceux que les chartes appelaient les guerriers, les chevaliers, lesquels comparaissaient devant le patron dont ils se reconnaissaient les hommes et qui travaillait à les réconcilier à l'amiable, et d'autre part la masse des « paysans », jugés par le délégué d'un seigneur et sur qui pleuvaient les amendes et les châtiments corporels. Parmi ces « pauvres », ces « travailleurs », la distinction primitive entre libres et esclaves se maintenait encore, mais tendait à s'effacer lentement. Je remarquai aussi qu'un tel système judiciaire à deux volets s'organisait autour du château, que les châteaux, beaucoup moins nombreux que je m'attendais à les trouver, constituaient le pivot de la nouvelle organisation sociale (dans le même temps, à Poitiers, un historien du droit aboutissait à la même conclusion) et que, depuis chaque château, rayonnait sur le territoire avoisinant une forme de domination, la seigneurie, qui s'était mise en place et durcie entre 980 et 1030. Il m'apparut que le clivage entre les chevaliers, compagnons du chef de la forteresse, et les paysans, ses sujets, se reliait étroitement à l'institution de la seigneurie et que, par conséquent, mieux valait appeler « seigneurial » que « féodal » le système instauré par la mutation du XIe siècle, ultime épisode d'un fractionnement progressif de l'autorité régalienne et de la progressive déchéance de l'état. Cet état, je le voyais se reconstituer, pas à pas dans la seconde moitié du XIIe siècle, et très rapidement au début du XIIIe, prenant assise, notamment, sur le fief.

Ainsi prit forme en 1948 le modèle sur quoi vinrent se cristalliser les résultats épars de mon enquête générale. Il est marqué d'un trait que je ne soulignai pas alors suffisamment, sans doute pour ne l'avoir pas assez remarqué, je parle de la primauté du politique dans l'explication du changement social que j'avais mis en évidence et que j'appelai plus tard la « révolution féodale ». Ce modèle délimitant, entre l'« an mil » et « le dimanche de Bouvines », l'aire chronologique où serait désormais cantonné l'essentiel de mes recherches. Je ne m'en suis jamais écarté sans inquiétude. Ainsi, quand beaucoup plus tard je fus chargé pour une *Histoire de France* du volume consacré au Moyen Age, avec toute latitude d'écrire un livre d'humeur, je mis tout le poids sur cette période. Je puis arguer à ma décharge qu'elle est capitale. Elle a vu s'installer toutes les structures sur quoi s'est bâti ce que nous appelons l'Ancien Régime.

Lorsque je rouvre la *Société au XIe et au XIIe siècles dans la région mâconnaise* dans l'édition originale, celle de 1953, je ne suis pas très fier. D'abord de l'objet lui-même. Le livre est misérable : papier de second choix, impression défectueuse, coquilles innombrables malgré deux jeux d'épreuves. Lucien Febvre avait obtenu qu'Armand Colin le publiât dans la *Bibliothèque générale de l'École pratique des Hautes Études,* mais à compte d'auteur; j'étais pauvre; j'avais dû marchander avec le moins cher des imprimeurs marseillais qui bâcla le travail. Mais les imperfections du contenu me gênent aussi. Je débutais. Je ne m'étais pas dégagé de l'influence de mes maîtres ni des questionnaires dressés par mes immédiats devanciers. Timide, je sentais encore le besoin de me protéger sur les flancs, de m'abriter derrière mes aînés. Parmi les boîtes où, selon les problèmes à traiter, je rangeais mes fiches, certaines se remplissaient, d'autres demeuraient vides. J'aurais dû fermer celles-ci. Je n'osais pas. Je me croyais tenu de les garnir, tant bien que mal, en y fourrant quelques glanures. Tenu, par exemple, de parler du commerce. Sur le commerce, les documents ne m'apprenaient à peu près rien. Il s'imposait de le dire, tout simplement, de mettre ce vide, pour l'expliquer, en rapport avec les pleins, plutôt que de m'acharner à le combler par des banalités. En revanche, je n'avais exploité qu'une part des informations contenues dans les archives de ce pays, car j'avais trop étroitement circonscrit le champ de mon enquête. Il m'eût fallu, pour comprendre et décrire convenablement cette formation sociale, pousser dans des directions où j'avais négligé de m'engager. J'en vois principalement quatre.

La décision de m'en tenir aux laïcs, de ne pas considérer les moines et les clercs, ne se justifie pas. Les deux parts, ecclésiastique et laïque, de la société se compénétraient étroitement et, par la fonction fondamentale qu'ils remplissaient, par la richesse de leurs possessions et de leur culture, les gens d'église pesaient d'un poids si lourd que leur présence affectait profondément, dans les moindres détails, l'agencement d'ensemble des rapports sociaux. Porter mes regards de ce côté m'aurait par ailleurs conduit à mieux mesurer l'influence des croyances et des pratiques religieuses sur les comportements, à m'intéresser en particulier plus que je ne l'ai fait aux morts, ces membres très présents de la communauté sociale, et m'aurait orienté déjà vers l'étude des attitudes mentales. En troisième lieu, du matériau très riche qui m'eût permis de reconstituer en partie les structures de parenté, de situer les individus que j'observais dans des réseaux de filiation et d'alliance, d'examiner de près la fonction du mariage, je tirai trop peu parti. Enfin, de l'économie, j'aurais pu dire beaucoup plus. Si les textes ne parlent à peu près pas de la monnaie ni du négoce, ils sont prolixes à propos de la terre, de cette terre qui s'étalait là devant mes yeux. Comment se distribuait-elle, comment la mesurait-on, comment les hommes y installaient-ils leur demeure, autant de questions auxquelles j'aurais trouvé quelque réponse si j'avais su les poser.

Je suis indulgent à l'égard de ces manques. J'ai des excuses. Le moment n'était pas venu. A la fin des années quarante, nous n'avions pas les moyens – je dis nous : je progressais au sein d'une communauté de chercheurs – d'étendre aussi largement le champ de nos recherches. L'outillage conceptuel et les instruments d'investigation nous faisaient défaut. Du moins, pris-je vite conscience des insuffisances. C'est à partir du chantier que j'avais ouvert, m'attaquant successivement aux aires inexplorées que j'ai travaillé pendant les quarante années suivantes et que je travaille encore.

VIII

La matière et l'esprit

Promu docteur, je me carrai presque aussitôt dans une chaire d'université, comme un seigneur, et d'autant plus confortablement que le fief se trouvait sur les confins, loin de Paris et de ses intrigues. J'aurais pu m'en tenir là, dans Aix-en-Provence, ville charmante où je rêvais depuis longtemps de m'établir, partager mon temps entre la chasse et les bains de mer, vivre en gentleman professeur : les exemples ne manquaient pas autour de moi. Ou bien remplir simplement ma fonction : enseigner. J'aime le faire. Une bonne bibliothèque, des étudiants agréables, quelques spécialistes éminents dans les disciplines voisines, tout proches et disposés au débat d'idées, un, puis deux, puis trois, puis dix assistants autour de moi, mes anciens élèves, enfin cet élan qui, en France, durant deux décennies glorieuses, soutint l'expansion des facultés des lettres avant que le déséquilibre interne et l'engorgement ne les fissent s'affaisser dans le marasme. Pourtant, je poursuivis l'enquête. Par penchant naturel, parce que je prends plaisir à écrire l'histoire. Parce que j'avais trente-trois ans et que la préparation de ma thèse, loin de m'avoir épuisé, avait échauffé mon ardeur. Mais aussi parce que je fus sollicité. Prend place ici nécessairement un éloge des éditeurs. Il en est de tout genre. Bien conseillés, certains m'ont stimulé, pressé de poursuivre, désigné des buts. Ils ont constamment secoué mon indolence.

Les commandes vinrent très vite, dès 1951, avant même l'achèvement de la thèse. La première peut-être, en tout cas la plus importante, me fut passée par Paul Lemerle, le grand historien de Byzance, qui, comme Perrin, savait allier à l'érudition la plus exigeante l'ouverture d'esprit la plus large, et dont l'amitié, inaugurée par l'offre qu'il me fit, m'encouragea tout au long de ma carrière. Il venait de prendre la direction d'une collection de manuels d'enseignement supérieur, comme il s'en crée périodiquement. Celle-ci offrait aux étudiants et à leurs maîtres de solides instruments de travail, utiles, et qui, dans cette intention, flanquaient d'un répertoire bibliographique et d'un choix de documents commentés un texte de synthèse présentant clairement, sans chamarrure excessive, l'état d'une grande question. Je fus invité à traiter sous cette forme de l'économie rurale dans l'Occident médiéval. Le projet m'excita. Il n'existait pas de précédent. Je n'avais pour appui que ma propre expérience, ce que j'avais appris en explorant un quartier très restreint de campagne et sur une courte durée. J'étais requis de sortir de cette étroitesse, de me déployer – et le brusque élargissement qui m'était imposé fut pour moi, en cette étape du cheminement, hautement bénéfique – d'embrasser du regard un champ immense, de considérer depuis le VIIIe et jusqu'au XVe siècle, et à travers l'Europe entière, le monde rural, c'est-à-dire en ce temps presque tout. Je dus lire, beaucoup lire. J'ai cité dans l'ouvrage six cent soixante-six publications dans les cinq langues qui m'étaient accessibles. Un critique, un professeur d'Oxford que j'avais sans doute irrité en célébrant trop haut les mérites des historiens économistes de Cambridge, affirma que je n'avais sûrement pas tout lu. Il se trompait. De fait, un travail de Romain. Entassant les fiches dans de nouvelles boîtes, je le poursuivis six années durant entre 1955 et 1961 sans effort, et même, je m'en souviens, dans une certaine allégresse. En effet, le livre que j'avais charge d'écrire était un livre de professeur, le produit direct d'un métier que j'exerçais joyeusement à la faculté d'Aix, et aussi à l'École normale de la rue d'Ulm où j'étais venu occuper, de moitié avec Jacques Le Goff, la place que Perrin laissait libre.

Cette fois, je ne partais pas seul à la découverte. Je n'avais pas comme pour la thèse, à extraire le matériau brut, à le façonner pour construire de toutes pièces un modèle. J'étais requis de rassembler les résultats du long travail mené en ordre dispersé par mes prédécesseurs et par mes compagnons de route, de comparer toutes ces contributions émiettées, de les ranger convenablement, traçant des perspectives, composant un panorama, et, bien sûr, d'y ajouter du mien, le fruit de mes propres réflexions, les hypothèses que me suggéraient mes lectures, enfin des informations complémentaires tirées directement des sources où je décidais d'aller moi-même puiser. Il me suffit en vérité pendant ces cinq années de conjoindre étroitement ce labeur à mon enseignement, comme je l'avais déjà fait lorsque je préparais mon « chef-d'œuvre » et comme je l'ai toujours fait depuis, de prendre l'objet même de cet ouvrage pour thème des deux exercices auxquels je me livrais chaque semaine devant mes étudiants : le cours magistral, la leçon, attaquant là une question par telle ou telle de ses faces et m'efforçant de lui donner une réponse simple et rigoureuse, et l'explication de textes, montrant ici comment s'interroger devant une charte, une photographie aérienne, une feuille de la carte d'état-major, une page d'un traité d'agronomie ou l'inventaire d'un domaine carolingien.

J'exécutai convenablement la commande, mais en toute liberté. Je demandai d'abord et obtins d'indiquer dans le titre de l'ouvrage que je ne m'en tiendrai pas à l'économie, que je présenterai aussi ce qu'avait été la « vie des campagnes », déclarant ainsi mon dessein : partir de l'économie comme d'un soubassement nécessaire pour atteindre ce que l'économie détermine en partie, mais en partie seulement, les relations de société. J'entendais aussi ne pas donner de conclusion à l'ouvrage. Lemerle résistait. Je tins bon car je voyais dans ce refus de conclure comme un manifeste, le signe que l'enquête demeurait ouverte et que, je le disais dans la préface, proposant une synthèse imparfaite, lacunaire, donc provisoire, j'attendais que le livre fût peu à peu détruit par ceux qui, l'utilisant, poussant plus loin, réduiraient ses insuffisances et corrigeraient ses bévues. Ce qui d'ailleurs s'est produit, les points faibles ne manquant pas. Faute de connaissances suffisantes en agronomie, mes suppositions relatives à l'évolution des rendements, au rôle de l'outillage, à la fonction des jachères, se sont vite révélées mal fondées, et je ne me pardonne pas d'avoir suggéré l'idée qu'une « révolution agricole » avait eu lieu en Europe au XIIe siècle.

Cette tentative pionnière, j'ose le dire, eut du moins le mérite de répondre aux curiosités et d'en susciter de nouvelles. Lemerle avait vu juste, c'était le moment de prendre pour sujet d'étude la ruralité. Dans le prolongement des recherches depuis longtemps engagées sur l'économie au Moyen Age, le problème se posait maintenant du rapport entre villes et campagnes. D'une manière plus générale, on voyait autour de 1960 s'accentuer petit à petit en France le goût pour les choses de la terre. Dans ces années-là, en effet, s'accélérait la démolition de ce qui demeurait encore de la civilisation traditionnelle, et la nostalgie s'avivait du monde que nous perdions, ainsi que le désir d'en sauver la mémoire avant qu'il ne fût trop tard. Tandis que s'aménageaient les premiers conservatoires des « arts et traditions populaires », commençait à prendre corps, modestement, une archéologie toute nouvelle, qui ne se souciait plus seulement du monumental, mais avant tout de la « culture matérielle », et nous allions en Pologne nous initier à ses méthodes. Elle ouvrait chez nous ses premiers chantiers en milieu rural, sur l'emplacement des villages désertés, dans l'espoir de découvrir les vestiges d'un système d'exploitation et d'un mode d'existence quotidienne parmi les décombres, les débris de poteries, les clés rouillées, les déchets de très anciennes cuisines. Or la grande vague de désertion datait du Moyen Age. Cette archéologie conquérante était principalement médiévale. S'ajoutait encore pour fixer de ce côté l'attention des chercheurs en sciences humaines le souci de mieux comprendre les premières étapes, sur fond paysan, de la croissance économique européenne afin d'aider le tiers monde, et spécialement les pays d'Afrique noire, à sortir du sous-développement. Entraient enfin en jeu pour stimuler nos curiosités en ce domaine les remous suscités par la décolonisation, la part amère que nous prenions alors au drame de l'Algérie et qui nous portait, comme pour venger l'honneur souillé par les tortures et les mensonges, à recueillir les débris des cultures écrasées, à nous demander si, dans l'Europe médiévale, les cultures paysannes n'avaient pas été elles aussi rabotées par l'orgueil et la cruauté des riches, des savants et des puissants. Cet ample mouvement, beaucoup d'historiens français le suivirent. Il m'emportait avec les autres. Mon livre tombait à pic. L'avoir écrit, et même avant qu'il ne fût publié, le seul fait de l'avoir préparé, me valait et me valut longtemps d'être rangé parmi les bons connaisseurs des sociétés paysannes.

En 1960, Fernand Braudel décidait de créer une nouvelle revue, *Études rurales.* Il l'implantait dans le laboratoire d'anthropologie sociale dirigé au Collège de France par Claude Lévi-Strauss et chargeait Isaac Chiva d'en coordonner la rédaction. Il me demanda d'en prendre la direction avec Daniel Faucher. Faucher était l'un des derniers représentants de la grande école de géographie française dont la fertilité procédait de la compénétration intime entre géographie humaine et géographie physique. Cette alliance, à ce moment même, se dénouait. Nous étions là pour tenter de sauver ce qui pouvait l'être, et nous voulions, dans les pages de cette revue, unir les géographes aux historiens, mais aussi aux anthropologues, aux économistes, aux sociologues, aux agronomes, convaincus que nous devions mettre en application, pour l'étude de ce champ immense, les campagnes et les paysanneries du monde, cette part du programme des *Annales,* de loin la plus féconde, appelant toutes les sciences de l'homme à coopérer. Nous les appelions à nous rejoindre et à travailler, de concert, comme elles le faisaient déjà pour l'étude d'une petite région française, l'Aubrac, au sein de l'enquête exemplaire que conduisait Georges-Henri Rivière.

Je reçus d'autres commandes, des États-Unis cette fois et d'Angleterre. On m'invitait à traiter des paysans du Moyen Age dans des collections d'histoire économique générale. Je le fis sous forme brève dans la série que dirigeait Carlo Cipolla et amplement pour la *World Economic History,* vaste entreprise dont Charles Wilson assumait la responsabilité. J'avais alors pris de l'aisance. La synthèse que je venais d'écrire à l'instigation de Lemerle me servit de tremplin. Je me lançai. Je décrivis plus librement et avec plus de force, m'appuyant toujours, tout au fond, sur ce que j'avais acquis en préparant ma thèse de doctorat, le puissant élan de croissance qui fit se peupler l'Europe et s'édifier ses paysages. Ici, je décidai de prendre pleinement en compte l'économie d'échanges. L'étude de son développement fut le fil conducteur de l'ouvrage. Ce qui m'obligea à partir de plus haut, du VIIe siècle, du moment où se perçoivent les premiers frémissements d'une reprise, et à m'arrêter résolument à la fin du XIIe, en ce point chronologique où, comme je l'avais aperçu déjà en Mâconnais, se situe l'inflexion majeure, le vrai départ. Je m'appliquai à cerner la place de la monnaie, du commerce, des villes au sein de l'économie rurale, une place longtemps subalterne, étriquée, mais dont je pouvais apercevoir qu'elle s'élargissait passé l'an mil par l'effet d'un courant de vitalité exubérante dont le travail de paysans de plus en plus nombreux et de mieux en mieux équipés était la source. Je voyais le flux de richesses mobilisées, et que la fiscalité seigneuriale canalisait vers les demeures des riches, s'enfler, attiser chez les puissants le goût du faste et de la dépense, et préparer ainsi le démarrage, ce grand retournement par quoi s'inaugura dans toute l'Europe, au moment où en France on décidait de rebâtir les cathédrales et où se renforçait l'état monarchique, le temps des hommes d'affaires tandis que s'affirmait la domination de l'argent et que l'esprit de largesse reculait devant l'esprit de profit. La version française de cet essai fut publiée en 1973 avant l'édition anglaise sous le titre *Guerriers et paysans.* Un peu plus tard, je changeai de camp; exécutant devenant maître de l'ouvrage, je passai à mon tour des commandes; quand Edgar Faure, alors ministre de l'Agriculture, souhaita que vît le jour une *Histoire de la France rurale,* j'aidai un de ses collaborateurs, Armand Wallon, à en préparer la confection. Et comme l'intérêt pour les choses de la campagne demeurait vif, les volumes que nous confiâmes à des historiens, à des géographes et à des sociologues connurent un certain succès dans le public.

*
* *

Durant cette seconde étape de mon itinéraire scientifique, je m'occupai principalement d'histoire économique et ce fut alors que l'influence de la pensée marxiste agît le plus fortement sur ma façon de réfléchir sur le passé. En fait, j'étais disposé à l'accueillir.

Il suffit de parcourir n'importe lequel des ouvrages que j'ai publiés pour reconnaître de quel côté penche, comme dit l'autre, ma sensibilité. N'ayant jamais été stalinien, je n'éprouve pas le besoin de me racheter en vitupérant les communistes. Et ce ne sont pas seulement des affinités de caractère qui me lient à Rodney Hilton et aux historiens de *Past and Present*. Lorsque je commençai mes études universitaires, l'histoire ne s'était en rien démise de la fonction messianique qu'elle avait commencé d'assumer en Europe, très tôt, dès le XIIᵉ siècle, alors qu'elle était encore au service d'une théologie, quand, frappés par le recul continu des friches, l'extension des agglomérations urbaines, l'enrichissement rapide des négociants et l'audace des bâtisseurs d'églises, les savants qui méditaient sur le cours des événements dans les enclos monastiques s'étaient peu à peu persuadés que le monde créé n'est pas si mauvais, que par l'effort des hommes il devient chaque jour plus radieux, et que le genre humain n'est pas entraîné comme à reculons, dans les sueurs et les angoisses, vers les gloires et les tourments de la surnature, mais qu'il va de l'avant, d'un pas assuré, sur les chemins de la terre. Se trouvait là le germe d'une croyance en un progrès matériel qu'il importe d'orienter afin qu'il conduise au bonheur. Ce germe, déposé durant la première phase de la croissance économique de l'Europe, mûrit et, quand débuta la seconde phase, au temps des Lumières, cette croyance s'épanouit, s'imposa. Elle demeurait vive dans les années trente. Nous la partagions et nous étions nombreux à chercher dans l'histoire les raisons d'annoncer, de préparer, de hâter, après les turbulences d'une mutation violente aux apparences de jugement dernier, l'avènement d'une société où n'existeraient plus ni classe, ni discorde, dont les membres vivraient désormais – bientôt – heureux et prospères, dans l'égalité parfaite que promettaient depuis des siècles aux déshérités d'antiques utopies paradisiaques.

On ne peut dire, certes, que les propositions de Karl Marx aient à cette époque beaucoup pesé sur les méthodes des historiens universitaires. Néanmoins, tous les programmes de la recherche historique se bâtissaient sur la notion de progrès. Sans doute, les hommes de ma génération, profondément marqués par ce qu'on leur avait raconté de la Grande Guerre, écœurés par cette nouvelle guerre aussi absurde, dont ils prévoyaient l'éclatement, et qui effectivement éclatait, les écrasait, n'étaient-ils plus aussi fermement convaincus que l'histoire a un sens. La « crise du progrès » était depuis longtemps déjà ouverte et nous en avions pris peu à peu conscience. J'avais lu Friedmann, j'avais lu Spengler sur le conseil d'Henri-Irénée Marrou. Cependant, les victoires de l'Armée Rouge, l'écho qui nous parvenait des combats de la Résistance et les espérances qui se levèrent dans les lendemains de la Libération avaient ranimé la flamme qui s'était allumée dans nos cœurs adolescents du temps du Front populaire et de la guerre d'Espagne. Les courants qui se réclamaient du marxisme s'amplifiaient. Tant qu'ils ne surent rien du Goulag, les plus généreux parmi les professeurs et les étudiants d'histoire furent attirés presque tous vers les extrémités de la gauche. Combien sont-ils en France, comptons-les, les historiens de qualité plus jeunes que moi de cinq ou dix ans, et pour cela épargnés par les désenchantements de l'entre-deux-guerres, qui n'ont pas ces années-là adhéré au parti communiste?

Pour ma part, je n'allai pas jusqu'à prendre le marxisme pour une science, comme beaucoup de mes amis, comme Althusser. Mais, dans le cours des années soixante, je lus assidûment Althusser. Je fus saisi par la justesse de ses analyses, par leur force décapante. Elles dégageaient enfin la pensée marxienne de la gangue où la pratique politicienne l'avait enfermée. Je restai réticent devant l'abus du déterminisme et je n'acceptai pas de voir les flux de l'histoire enfermés dans un carcan nouveau, guindés dans la rigidité des « structures ». Mais Althusser me passionnait lorsqu'il désignait l'idéologie comme une illusion inéluctable au sein de toute formation sociale.

Je me méfie des théories. J'engage fortement mes confrères à s'en méfier. En Italie, dans ce pays où les historiens doivent à tout prix se ranger à droite ou à gauche, on me l'a durement reproché lorsque parurent les *Dialogues* avec Guy Lardreau, sous un titre il est vrai provoquant : *Il sogno de la storia.* En fait, je professe que, pour ne pas biaiser le contenu des documents qu'il interroge, l'historien devrait les aborder affranchi de toute idée préconçue. Une telle liberté, je l'ai dit, est inaccessible. Et je sais bien que mes recherches, dès l'instant où je les entrepris, furent menées dans un cadre conceptuel. Ce cadre était construit sur mes premières expériences de géographie et sur la lecture des *Annales,* c'est-à-dire sur l'idée que la société est un système, dont tous les éléments, solidaires, s'articulent. Ce que m'apportait le marxisme n'en dérangeait pas sensiblement l'armature. Elle en fut au contraire très heureusement affinée. L'architecture de *Guerriers et paysans* repose presque entièrement sur les concepts de classe et de rapport de production. J'y use, par exemple, d'un modèle, celui de la lutte des classes, que Marx a forgé en observant la société de son temps. Sautant par-dessus les siècles, j'osai le projeter sur un système social tout à fait différent de celui du XIXe siècle. Et cette projection arbitraire se révéla très efficace, mais justement, parce que ce transfert révélait des discordances et l'inadéquation du modèle, il me fit percevoir plus clairement les caractères originaux et les mécanismes de la seigneurie. Voilà comment je me sers des théories, en pleine liberté, et comme des outils parmi d'autres.

J'ai entendu souvent, partout, à Téhéran, à Caracas, en Chine, les jeunes gens qui m'écoutaient, chuchoter : est-il marxiste? Ma dette envers le marxisme est immense. Je me plais à en faire état. Par loyauté. Et pas seulement par malice, comme il m'arriva de le faire dans ce colloque à Venise où, invité par Raymond Aron, à dire mon sentiment sur les méthodes d'une histoire des systèmes de valeurs, je m'amusai à me référer exclusivement à Gramsci, à Labriola, et même à Lénine. Toutefois, j'affirme non moins nettement ne pas croire à l'objectivité de l'historien, ni que l'on puisse distinguer « en dernière instance » le plus déterminant des facteurs dont procède l'évolution des sociétés humaines. Je proclame aussi, ce qui m'établit à une certaine distance, que je ne suis pas matérialiste. Je peux alors répéter très haut combien me fut salutaire, entre 1955 et 1965, usant du prodigieux instrument d'analyse qu'est le marxisme, d'examiner de plus près comment les richesses sont produites et distribuées au sein d'une formation sociale et tout ce qui enracine celle-ci dans la matière. Ceci fait, j'étais paré. Je pouvais en toute assurance, les pieds sur terre, porter mon attention sur ce qui dans le mouvement de l'histoire relève non pas du matériel, mais de l'« idéel », comme dit Maurice Godelier, marxiste, mais anthropologue.

*
* *

Ma formation de géographe m'inclinait naturellement à me tourner vers l'anthropologie. Cette discipline prenait le relais de la géographie défaillante. La décolonisation obligeait de replier sur la métropole quelques-uns des chantiers de l'ethnographie, ce qui soutint le développement d'une « ethnologie française » assumant la fonction d'entraînement que la géographie humaine avait remplie au temps de ma jeunesse. Avec autant de profit et beaucoup plus de plaisir que les exégètes de Marx et de Engels, j'ai donc lu ces années-là les anthropologues, et d'abord l'œuvre de Claude Lévi-Strauss. Elle lançait un défi aux historiens. Pour s'être fondée en premier lieu sur l'observation des sociétés exotiques « primitives », apparemment « froides », sans histoire, figées dans une durée ronde, cyclique, festive, et dans l'intemporalité de leurs mythes, l'anthropologie sociale tendait à reléguer sur les marges de ses curiosités ce qui dans les rapports entre les hommes se transforme au fil du temps et, comme la linguistique, son étroite alliée, comme d'ailleurs la part la plus vigoureuse, la plus juvénile de toutes les sciences de l'homme, comme ce dont la mode à cette époque obligeait à parler dans Paris, comme Foucault, comme Lacan, comme Althusser s'appuyant sur Bachelard, elle mettait le poids sur les structures, et nous autres historiens risquions fort de nous trouver cantonnés en position subalterne. De fait, le structuralisme nous stimula, nous obligea à remuer de fond en comble nos questionnaires. Ce coup de fouet me paraît très directement responsable du tournant fort accentué, capital à mes yeux, qui déclencha autour de 1960 un nouveau rajeunissement de l'école historique française, comparable à celui qu'avait provoqué trente ans auparavant le combat mené par Lucien Febvre et Marc Bloch dans les *Annales.* En effet, l'ensemble des sciences de l'homme constitue un système. Lorsque l'une d'elles se met à bouger, le mouvement ne tarde pas à entraîner les autres.

Lisant les ethnologues, et plus particulièrement les africanistes, Meillassoux, Augé ou Althabe, je fus, là encore, moins sensible aux propositions théoriques qu'à la description des faits, à l'analyse de ces cas d'espèces qui mettent en évidence des rapports inaperçus, à quantité de notations concrètes que je puisai dans leurs travaux et qui, me montrant l'intérêt d'utiliser des concepts que je n'étais pas accoutumé à manier, tels ceux de réciprocité ou de redistribution, me forcèrent à considérer d'un tout autre œil la société féodale, à reconnaître notamment que l'économie n'y occupait pas le champ et n'y tenait pas le rôle que je lui attribuais à la suite de Pirenne et même de Marc Bloch. Ce que j'écrivis de plus neuf dans *Guerriers et paysans,* outre la référence à l'histoire du climat dont Emmanuel Le Roy Ladurie était alors en France le promoteur, vient de ces lectures. Mauss, Polanyi, Veblen m'enseignaient à faire une large place à la gratuité dans les circuits d'échanges. Je discernai ainsi la fonction éminente qu'avait assumée aux XIe et XIIe siècles, au sein de communautés dont je croyais bien connaître le comportement, la largesse, c'est-à-dire l'obligation et le plaisir de donner à pleines mains, celle qu'avaient remplie le jeu, la fête, le devoir de détruire, de sacrifier solennellement, de temps en temps, des richesses. Je me voyais contraint de compter parmi les consommateurs et les distributeurs des personnages que j'avais omis de prendre en compte, invisibles mais nombreux, exigeants, généreux parfois, vindicatifs, les saints protecteurs et les morts. Je dus me rendre à l'évidence : pour les hommes qui, au temps des croisades, cultivaient la terre d'Europe, tout comme pour les agriculteurs maliens ou malgaches d'aujourd'hui, le rendement des semailles dépendait autant de la paix et des

110

faveurs du ciel que de la qualité du grain ou du travail des bœufs de labour. Ils se préoccupaient donc d'acquérir cette paix, ces faveurs. C'est pour cela qu'ils portaient, sans rechigner autant que jusqu'alors j'étais enclin à le supposer, vers le monastère, fontaine de grâces, ou le château, garant de l'ordre public et de la justice, une portion importante du produit de leur labeur. Je ne devais donc plus tenir ces redevances pour un « loyer de la terre », un élément de la « rente foncière ». Elles venaient en contre-don. Elles constituaient effectivement pour les paysans qui les livraient et pour le seigneur qui les recevait, des « cadeaux », comme d'ailleurs les désignait le latin des inventaires. Des cadeaux symboliques, les gestes qui les faisaient passer d'une main dans une autre main comptant beaucoup plus que leur valeur réelle. Découvrir ceci m'imposait évidemment de rectifier des jugements que je croyais bien assurés quant aux effets supposés sur les rapports de société de phénomènes tels que, par exemple, la dépréciation des espèces monétaires au cours du XIIe siècle. De même, m'apercevoir que les seigneurs, garants de la fertilité des champs et de l'abondance des moissons, non seulement se souciaient comme d'une guigne de ce qu'on pouvait acheter avec ce denier d'argent qu'ils cueillaient sur la tête de leurs serfs défilant devant eux à la date prescrite, mais ne pouvaient, sans risquer de perdre leur pouvoir, se dispenser d'ouvrir leurs greniers à tous les nécessiteux et ne s'en dispensaient pas, reconnaître que le taux des ponctions seigneuriales résultait en fait d'un équilibre entre l'avidité des maîtres et la crainte, la reconnaissance, la résistance passive des protégés, me révélaient la vraie nature de l'« économie féodale ». Il me semblait voir mieux maintenant la seigneurie comme avaient pu se la représenter ceux qui en supportaient le poids et ceux qui s'en partageaient les profits : un organe répartissant nécessairement, et, tant bien que mal, équitablement, les fruits de la terre entre tous ceux qui, chacun à sa façon, en attirant par la prière la bienveillance du Tout-Puissant, en réprimant les désordres par les armes ou en travaillant de leurs mains, avaient coopéré à la survie de la collectivité.

Ce que je recevais de l'anthropologie sociale m'encourageait aussi à m'informer des systèmes d'images construits et propagés dans l'intention de justifier et de pérenniser une certaine organisation de la production et de la distribution des richesses, donc à entreprendre l'étude des rites et des mythes, à poursuivre celle des relations de parenté, m'invitait à me glisser à l'intérieur des maisonnées féodales, ces petites sociétés complexes dont je n'avais aperçu, en Mâconnais, que l'écorce, m'obligeait surtout, à propos de ces êtres que je m'étais contenté jusqu'alors de classer, de situer par rapport aux formes extérieures du pouvoir, à m'interroger sur ce qu'ils pensaient, sur ce qui, sans qu'ils en aient pleinement conscience, les poussait à se comporter les uns envers les autres de telle ou telle façon. Claude Lévi-Strauss nous éperonnait : « L'historien sait bien, écrivait-il à l'époque, et de façon croissante qu'il doit appeler à la rescousse tout l'appareil d'élaboration inconsciente. » Le savions-nous vraiment ? C'était en tout cas nous l'apprendre. Voilà comment je me suis risqué, téméraire, en franc-tireur, à vouloir faire l'histoire des mentalités.

IX

Mentalités

A vrai dire, je m'étais lancé bien avant, dès 1955. En outre, je ne m'aventurais pas seul. Robert Mandrou m'accompagnait, et Lucien Febvre nous avait ouvert la voie.

Je crois devoir à Lucien Febvre autant qu'à Marc Bloch. Je les avais lus l'un et l'autre avec une égale passion. Febvre, à qui André Allix m'avait présenté pendant l'hiver 1944, me guida, lui, directement. J'étais en quête de liberté, persuadé qu'il m'était utile de ne pas rester enfermé au milieu des médiévistes. L'accueil que je reçus, simple, robuste, à la paysanne, me conquit. Il me raffermit aussi, et c'est bien là d'abord ce que les débutants attendent d'un patron. Lucien Febvre m'incita sans cesse à plus d'audace, à ne pas m'empêtrer dans une érudition tatillonne, à voler de mes propres ailes. Je lui rends grâce, et je le fais à voix d'autant plus haute que, dans le moment où j'écris, cet inimitable historien n'a pas bonne presse. Des gens qui ne savent pas ce que c'était que tenir bon sous la botte allemande pour ne pas baisser pavillon, lui reprochent son acharnement à maintenir les *Annales* en vie pendant l'occupation. On l'oppose à Marc Bloch dont on amplifie le rôle tandis que l'on minimise le sien. Or, s'il exista jamais une « école des Annales », ce fut bien grâce à Lucien Febvre.

Un encadrement, tout un appareil étaient nécessaires. Bloch, par son caractère, n'était pas disposé à le construire. Lucien Febvre le construisit, jouant de cette générosité entraînante, d'une faculté d'ouverture chaleureuse qui lui valait de recueillir les adhésions et les appuis grâce auxquels il fonda solidement une institution. La revue, il la fit naître, et puis renaître. Dès la Libération, il obtint de la fondation Rockefeller de quoi créer, aidé par Clemens Heller, la VIᵉ section de l'École pratique des hautes études. Évidemment, ceux qui payaient, et très largement, disaient leur mot lorsqu'il s'agissait d'établir au sein de cet organisme des programmes d'investigations. Ils exigèrent que celles-ci fussent menées dans un cadre, celui des « aires culturelles », dont on constate aujourd'hui qu'il n'était pas le mieux choisi. Mais les effets fâcheux de ce choix imposé ne comptent guère en regard de l'immense profit qui résulta de cette création. J'affirme qu'elle est à la source du courant vivifiant qui fit le succès de l'école historique française. Matrice à la fois de l'actuelle Maison des sciences de l'homme et de l'actuelle École des hautes études en sciences sociales, la VIe section qui, pour la première fois, rassemblait autour de l'histoire toutes les disciplines appliquées à l'étude des sociétés humaines, répandit pendant trente ans à profusion à travers la France, l'Europe, le monde le flux de ses provocations, de ses interrogations déroutantes, stimulantes, qui peu à peu vinrent à bout des scléroses et dont la puissance conquérante tenait aux ressources que Lucien Febvre avait su capter. Ces ressources servirent en particulier, ce qui est essentiel à mes yeux, à détecter les jeunes talents dès qu'ils se manifestaient, à les mettre en situation de s'épanouir, à les attirer vers un seul centre afin qu'ils travaillent ensemble aux progrès d'enquêtes judicieusement coordonnées. L'« École » n'aurait pas montré tant de vigueur sans ce rajeunissement constant des équipes, si fécond, si nécessaire, dont je déplore qu'il n'ait cessé en France de s'étriquer depuis la fin de cette époque heureuse où l'argent ne manquait pas, ni la volonté attentive de ne pas se laisser engourdir par l'insidieux développement de l'esprit de chapelle.

Lucien Febvre était encore plus que Marc Bloch persuadé que l'économie n'explique pas seule les structures et l'évolution d'un groupe social. Cette conviction l'incita à donner à la revue un nouveau titre : *Annales. Économies, Sociétés, Civilisations.* L'économie tenait toujours la tête, mais le social s'installait au cœur du projet, en position maîtresse, et la place qui lui avait été assignée par les fondateurs en 1929, complémentaire, non pas accessoire, bien au contraire ouverte sur l'avenir de la recherche, revenait maintenant aux « civilisations », c'est-à-dire à ce que nous appellerions plus volontiers aujourd'hui la culture. En effet, à la différence de Braudel, dont la manière d'écrire l'histoire dérive d'une conjonction entre les démarches du géographe et celles de l'économiste et qui avouait sans réticence hésiter à se hasarder sur le terrain du culturel, particulièrement du religieux, Lucien Febvre, lui, tirant son information des œuvres littéraires plus que des cartes et beaucoup plus que des statistiques, se sentait plus à l'aise sur ce terrain que sur tout autre.

En cela, Mandrou pouvait se dire son héritier direct, et s'il se brouilla avec Braudel, ce fut sans aucun doute pour avoir trop ouvertement affiché cette filiation. Mandrou travaillait à la VIe section dans l'ombre du patron. Quand Febvre me fit proposer d'écrire une courte histoire de la civilisation française (de ce livre je ne parlerai pas davantage, bien que j'aie pour lui quelque tendresse : c'est le premier essai de synthèse que j'ai composé), je demandai de l'aide. On m'offrit Mandrou. Nous travaillâmes ensemble. Cette tâche commune nous lia étroitement, ce qui resserra mes liens avec l'« École », et nous nous mîmes à exploiter ce que nous léguait Lucien Febvre. Marc Bloch, depuis les *Rois thaumaturges* jusqu'à *La Société féodale,* invitait à considérer l'« atmosphère mentale ». Avec plus d'insistance, Febvre appelait à écrire l'histoire des « sensibilités », celle des odeurs, des craintes, des systèmes de valeurs, et son *Rabelais* montrait superbement que chaque époque se fait sa propre vision du monde, que les manières de sentir et de penser varient avec le temps et que par conséquent l'historien est requis de se défendre autant qu'il peut des siennes sous peine de ne rien comprendre. Febvre nous proposait un nouvel objet d'étude, les « mentalités ». C'était le terme qu'il employait. Nous le reprîmes.

Il ne figure pas dans le Littré, bien qu'on le trouve utilisé dès le milieu du XIXᵉ siècle, par dérivations du mot mental, pour désigner, vaguement, ce qui se passe dans l'esprit. Après 1880, il entre vraiment en usage : « Mentalité me plaît », dit Proust. « Il y a comme cela des mots nouveaux qu'on lance. » Par celui-ci on entendait, toujours aussi vaguement, certaines dispositions psychologiques et morales à juger des choses. Vers 1920, les sociologues s'en emparèrent. Le titre choisi par Levy-Bruhl pour celui de ses ouvrages qui fit peut-être le plus de bruit, *La Mentalité primitive,* le consacra. Du coup, dans le langage universitaire où il s'introduisit très vite, son sens se précisa. Voici la définition qu'en donna Gaston Bouthoul en 1952 : « Derrière toutes les différences et les nuances individuelles, il subsiste une sorte de résidu psychologique stable, fait de jugements, de concepts et de croyances auxquels adhèrent au fond tous les individus d'une même société. » C'est ainsi que nous l'entendions. Nous prenions cependant quelque distance. En effet, nous partions assurés qu'au sein d'« une même société » il n'existe pas un seul « résidu ». Du moins que ce résidu ne présente pas la même consistance dans les divers milieux ou strates dont se compose une formation sociale. Surtout nous refusions d'accepter pour « stable » ce, ou plutôt ces (nous tenions au pluriel) résidus. Ils se modifient au cours des âges et nous proposions justement de suivre attentivement ces modifications.

Je n'emploie plus le mot mentalité. Il n'est pas satisfaisant et nous ne tardâmes pas à nous en apercevoir. Mais à l'époque, à la fin des années cinquante, il convenait assez bien, en raison de ses faiblesses, de son imprécision même, pour désigner la *terra incognita* que nous invitions les historiens à explorer avec nous et dont nous ne connaissions encore ni les limites ni la topographie. De quoi s'agissait-il en effet ? De franchir le seuil contre quoi l'étude des sociétés du passé achoppe lorsqu'elle se limite à considérer les facteurs matériels, la production, les techniques, la population, les échanges. Nous sentions l'urgence de pousser au-delà, du côté de ces forces dont le siège n'est pas dans les choses, mais dans l'idée qu'on s'en fait et qui commandent en vérité de manière impérative l'organisation et le destin des groupes humains. Les marxistes eux-mêmes, d'ailleurs, nous montraient le chemin, puisqu'ils reconnaissaient qu'une classe n'accède à l'existence efficace qu'au moment où ceux qui la forment prennent conscience d'en faire partie. Nous allions plus loin, excluant qu'il allât de soi que fût déterminé en dernière instance par des conditions matérielles ce système de représentations mentales plus ou moins claires à quoi plus ou moins consciemment se réfèrent les gens pour se conduire dans la vie. Nous énoncions toutefois deux principes, à nos yeux fondamentaux.

Nous affirmions en premier lieu que l'étude dans la longue durée de ce système ne doit à aucun prix être isolée de celle de la matérialité, et c'est bien pour soutenir cette proposition primordiale que nous nous attachions à ce mot, « mentalité ». D'autres termes, dérivés du mot esprit, du mot idée, auraient mis, pensions-nous, trop fortement l'accent sur l'immatériel, risquant de faire oublier que les phénomènes dont nous suggérions l'étude s'ancrent inévitablement dans le corporel, et de favoriser ainsi la dérive vers une *Geistesgeschischte* sans amarres dont nous dénoncions les insuffisances. Ce que nous cherchions à connaître en effet se passe dans les têtes, lesquelles ne sont pas séparables d'un corps, dans l'*animus* et non pas dans l'*anima* nous aurait peut-être dit Hugues de Saint-Victor si nous avions pu lui demander son avis. Et si les traces laissées par les « jugements », les « concepts », les « croyances » que partageaient nos ancêtres du XIIe siècle, certes moins palpables que celles d'une opération de défrichement ou d'une expédition militaire – d'ailleurs dépendantes elles-mêmes de quelques-uns de ces jugements, de ces concepts et de ces croyances – n'ont pas moins de « réalité », nous mettions en garde les historiens contre le danger de les interpréter sans prendre en compte simultanément ce que d'autres traces apprennent des procédés d'éducation par quoi se transmettaient de génération en génération ces représentations mentales, des conduites que celles-ci entendaient justifier, des peurs dont elles aidaient à se délivrer, des perceptions dont elles s'alimentaient tout en les déformant, bref, de tout le concret de l'existence au sein de quoi ces représentations plongeaient leurs racines et sur lesquelles elles ne cessaient de retentir. Les mentalités, dont nous prétendions faire un nouvel objet de l'histoire, nous le répétions inlassablement contre les tenants d'une histoire autonome de la « pensée » ou de la « vie spirituelle », n'ont d'intérêt, et de fait n'ont d'existence, qu'incarnées, au sens premier et le plus fort de ce terme, et lorsque plus tard, cherchant la signification des édifices cisterciens et m'informant à cette fin des préceptes dont s'inspirèrent les hommes qui les bâtirent, c'est-à-dire de la morale que prêchait Bernard de Clairvaux, j'eus la satisfaction de constater que cet homme exigeant, pour avoir longuement médité sur le mystère chrétien de l'incarnation, proclamait lui aussi que les hommes ne sont pas des anges, donc qu'ils ne parviennent à élever leur âme jusqu'aux effervescences du mysticisme qu'en sublimant des pulsions surgies du plus profond de leur être charnel, et qu'il insistait, comme nous autres pionniers d'une histoire des mentalités, sur la nécessité de préserver l'unité de la chair et de l'esprit si l'on veut comprendre le moindre des actes d'un être humain.

Toutefois – et c'était le second de nos principes – ce n'était pas à l'individu que nous nous intéressions. Obligés, bien sûr, souvent, de saisir ce que nous désirions atteindre à travers le cas d'une personnalité, nous nous efforcions d'abstraire le singulier de ses pensées. Pas plus que nous n'acceptions de séparer celles-ci de son corps, nous ne consentions à isoler cet individu du corps social où il se trouvait inséré. Par mentalités, nous désignions l'ensemble flou d'images et de certitudes irraisonnées à quoi se réfèrent tous les membres d'un même groupe. Sur ce fond commun, ce noyau dur, en contrebas de ce que chacun pouvait imaginer et décider, nous appelions à concentrer l'observation. Toutefois nous mettions en garde, fortement, malgré l'usage qu'en faisait le très grand historien du sacré que fut Alphonse Dupront, contre le concept, selon nous fallacieux, d'inconscient collectif. Il n'y a d'inconscient en effet que par rapport à une conscience, c'est-à-dire à une personne. Or nous cherchions à reconnaître non pas ce que chaque personne tient accidentellement refoulé hors de sa conscience, mais ce magma confus de présomptions héritées à quoi, sans y prêter attention mais sans non plus le chasser de son esprit, elle fait à tout moment référence.

En 1961, j'eus l'occasion de m'expliquer un peu sur notre projet, hésitant encore – nous en étions à l'ébauche d'un questionnaire – dans un essai de trente pages. Curieusement, c'était le gardien farouche de la tradition érudite, embusqué dans des citadelles encore inviolées, l'Institut, l'École des chartes, les Archives de France, c'était l'un des adversaires les plus acharnés des *Annales,* c'était Charles Samaran qui me demandait de le faire. Ce savant respectable – et ceci nous frappa – croyait bon d'insérer dans un volume de l'*Encyclopédie de la Pléiade* consacré à l'histoire et ses méthodes un chapitre dévolu à l'histoire des mentalités. Je l'écrivis. Dans une lettre aigre-douce, Samaran m'en remercia, me félicitant de m'être avec tant de ferveur incliné devant Lucien Febvre qu'il détestait. Il publia néanmoins cette sorte de manifeste. Nous avions gagné la partie. Mais cette petite victoire ponctuelle manifestait un événement de tout autre ampleur. Elle faisait apparaître que tout, jusqu'aux résistances les plus opiniâtres, était entraîné par le puissant courant qui, en France, durant une décennie, entre mes trente-cinq et mes quarante-cinq ans, par l'effet conjugué des défis de l'anthropologie structurale et du dégel de la pensée marxiste, dévia le cours de la recherche en histoire.

X

De l'art

Ce fut dans ces années-là qu'Albert Skira me suggéra de travailler pour lui. J'admirais, de loin, pour leur rigueur, leur éclat, leur élégance, les livres qu'il publiait. L'homme était séduisant, séducteur. Il traitait ses auteurs princièrement dans son intimité, comme il traitait Max Ernst ou Giacometti, avec autant de largesse et d'égards. Il mettait alors en train une collection nouvelle dont il cherchait encore le titre, où la création artistique serait située dans les mouvements de l'histoire. Il avait décidé d'attribuer deux volumes au Moyen Age et souhaitait me confier l'un d'eux. Je n'ai jamais su qui, Gaëtan Picon peut-être, l'avait incité à s'adresser à moi. La proposition m'enthousiasma. Elle venait assouvir un très ancien désir, celui de satisfaire dans l'exercice même de mon métier ce goût violent qui depuis toujours me portait vers l'œuvre d'art. Déjà, lorsque je rendis ma première visite à Charles-Edmond Perrin afin qu'il m'aidât à choisir le sujet de ma thèse, je venais vers lui avec un projet défini : je me proposais d'étudier la condition de l'artiste dans la société médiévale. Je ne mesurais pas la difficulté de l'enquête, évidemment hors de portée d'un débutant. Lucien Febvre, lui, m'aurait-il laissé me hasarder ? En tout cas, Perrin, sagement, me remit sur le droit chemin. Mais l'envie m'était restée. J'acceptai la commande. L'expérience acquise m'autorisait maintenant à confronter ce que j'avais appris de la société et de la culture de ce temps à ce que je connaissais déjà de son art et à ce que les spécialistes de l'histoire des formes m'en diraient de plus. Je jouissais de voir se réduire les distances entre mon labeur d'historien et ces notes que, dans les libertés ensoleillées de mon séjour provençal, j'écrivais de temps à autre pour l'*Arc* de Stéphane Cordier ou les *Cahiers du Sud* de Jean Balard. J'obtins qu'il y eut non pas deux mais trois volumes et je me mis à les préparer.

Je travaillai dans un grand bonheur. J'avais changé d'atelier. Il me semblait avoir changé de peau. J'étais admis à collaborer directement à la mise au point des maquettes, à la conception de ces véritables objets d'art, les livres de la série la plus somptueuse et la mieux ordonnée qu'ait lancée Albert Skira. Il m'incombait, et c'était pour moi la nouveauté et la difficulté de l'entreprise, d'élaborer un texte qui s'ajustât à des images, et des images que nous choisissions en premier lieu pour leur beauté, que nous disposions parmi les pages en nous fondant d'abord sur leur puissance de suggestion. Car le propos de ces livres était avant tout de susciter, d'entretenir une émotion esthétique. Les mots, les phrases que j'étais chargé d'écrire ne venaient qu'en soubassement, pour soutenir cette émotion, pour la prolonger peut-être, en expliquant. Non pas bien sûr l'émotion elle-même que le lecteur ressentait devant les œuvres et que je ressentais moi-même, mais le rôle que ces pièces d'orfèvrerie, ces sculptures, ces ordonnances de piliers et de voûtes avaient rempli pour ceux qui les avaient façonnées et pour ceux qui avaient commandé qu'elles le fussent. Ces hommes m'étaient familiers. Je devinais comment certains d'entre eux se représentaient le monde. Je pouvais tenter de me mettre à leur place, de sentir comme eux et de communiquer ce qu'ils avaient senti. Différent de ce que nous sentions. Telle était la tâche que je m'assignai. Expliquer par exemple la fonction dévolue aux verrières dans une cathédrale, révéler la signification profonde de ces « cascades de bleu » dont Jean Genet me disait ressentir physiquement, dans son corps, le bouleversant déferlement lorsqu'il entrait dans Notre-Dame de Chartres.

J'avais décidé de mener ce travail dans le cadre même que j'avais choisi pour présenter naguère l'*Économie rurale* : l'ensemble de la chrétienté latine et la période comprise entre le moment où les traditions esthétiques carolingiennes reprennent vigueur après les dernières invasions normandes et celui où, dans la Flandre de Van Eyck et la Toscane de Masaccio, s'inaugurent de nouvelles manières de peindre. J'étais à l'aise. Mes arrières étaient assurés. Toutefois, l'exercice, périlleux, exigea de ma part une conversion véritable. Et d'abord l'adaptation des méthodes que j'avais coutume d'employer pour traiter l'information. Je n'étais plus devant des mots, des discours, mais devant des objets, et d'une catégorie très particulière : ce qui n'avait pas péri de la création artistique, c'est-à-dire presque toujours le meilleur, la part jugée la plus parfaite que le respect des connaisseurs avait réussi à préserver des destructions aveugles et des injures du temps. La part donc la plus « géniale ». C'est ici que surgissait la première difficulté. Il me fallait retrancher de ces objets exceptionnels, qu'il s'agisse du manteau de l'empereur Henri II, conservé dans le trésor de la cathédrale de Bamberg, ou de la statue d'Adam jadis dressée sur le jubé de Notre-Dame de Paris, ce qui paraît procéder du « génie », de la sensibilité personnelle de l'artiste, de ses inventions imprévisibles, de sa libre inspiration, bref ce qui dans l'ouvrage se montre irréductible à toute explication, et le séparer de ce qui ne l'est pas, de tout le reste, de ce fond général où puisent aussi bien les petits maîtres que les grands créateurs et qui seul entretient quelques relations avec l'environnement social et culturel.

Autre obstacle : j'ai tort de parler d'objets. En effet, entre l'an mil et le début du xve siècle, l'objet d'art, au sens propre du terme, la pièce isolée, est rare, beaucoup plus rare qu'on ne croirait en visitant les musées où ce que l'on pourrait prendre pour un objet d'art est presque toujours un fragment détaché par hasard d'un ensemble, et que d'ailleurs cette soustraction prive d'une bonne part de sa signification. Tel panneau peint appartenait à un retable, telle figure sculptée au porche d'une église. Or, le retable ou l'église, ces ensembles, se sont souvent constitués très lentement. Les chantiers des cathédrales restèrent presque tous ouverts pendant des décennies et, entre-temps, les dispositions primitives du projet se modifiaient. La datation de ces ensembles est donc plus hasardeuse encore que celle des chartes de Cluny. Quant aux éléments qui en furent séparés pour devenir des objets d'art, il est plus difficile encore de les dater avec précision. De nos jours, la diligence des historiens de l'art propose de l'évolution des formes une chronologie toujours plus rigoureuse. Elle était au temps où j'écrivais ces livres incertaine. Comment, dans ces conditions, situer sans trop d'arbitraire les mouvements de la création au sein d'une histoire globale? Les mettre en relation avec une histoire de la production et des échanges dont je parvenais à discerner assez clairement les étapes était déjà malaisé. L'entreprise devenait franchement hasardeuse face à cette histoire des goûts, des désirs, des inquiétudes, beaucoup plus indécise et dont, à l'époque, je n'étais pas encore formé à détecter les traces.

Enfin, je me heurtais de front à ces questions que Jauss et ses disciples devaient plus tard poser à propos de la « réception ». Sur quelles sources d'information, sur quels critères se fonder pour énoncer autre chose que des impressions quant aux rapports qui, dans la société médiévale, purent s'établir entre l'œuvre d'art et, dirai-je faute d'autre mot, le public? Comment se représenter le dialogue entre le commanditaire de l'ouvrage et celui qu'il chargeait de l'exécuter? Comment repérer l'innovation, comment ne pas lui faire la part trop belle, lui accorder trop d'importance en regard de l'épaisse coulée de traditions, de redondances et de routines? Où surgit-elle et sous quelle pression? Dans l'atelier où le maître formait ses disciples? Parmi les entrepreneurs traitant avec les clients et se les disputant? Dans le public, qui l'attendait et provoquait son émergence? Je cherchai à découvrir les liens entre la création artistique et le pouvoir, ou plutôt les pouvoirs, celui de l'argent, mais aussi le pouvoir écrasant des croyances, et je commençai à m'informer ainsi sérieusement de l'histoire du christianisme. J'étudiai bien sûr celle de l'institution ecclésiastique, mais plus attentivement l'histoire profonde, essentielle, de la pratique, de la sensibilité, des représentations religieuses, afin de suivre le mouvement qui sur l'œuvre d'art fit se substituer peu à peu au reflet de l'Apocalypse, qui s'y projetait au départ violemment, les reflets contrastés du roman courtois et, aussi, de l'*Imitation de Jésus-Christ*. Enfin, tout au long de ma recherche, ce problème, lancinant : pour les contemporains d'Hugues Capet ou pour les contemporains de Dante, quelle était la fonction de ce que nous appelons l'art et qui pour nous n'a pas de fonction?

Écrire ces livres fut, dans tous les sens du terme, un « essai ». Libérateur : il me transforma. Je me dégageais de l'emprise universitaire. Pour la première fois, je ne m'adressais pas à des confrères, à des professeurs, à des étudiants, à des professionnels (de fait, pendant longtemps, mes propos furent jugés trop libres et mis à l'index dans les instituts français d'histoire de l'art : il était dangereux pour les étudiants de s'y référer). Délibérément, je mettais au service de tous les gens de culture mon expérience d'historien des sociétés. Je leur proposais de les conduire un peu plus près qu'ils ne se tiennent d'ordinaire du tympan de Moissac ou de la tapisserie d'Angers. M'adresser à ce nouveau public m'imposait de m'exprimer sur un autre ton. D'ailleurs, pour traiter une matière beaucoup plus fine, presque insaisissable, je devais affiner l'écriture. Je veillais à rester clair, mais je souhaitais aussi que mon lecteur me suivît dans les zones d'ombres que l'historien traverse inévitablement lorsqu'il poursuit ces réalités évanescentes que sont les rêves d'un artiste ou les nostalgies d'un amateur d'art. J'entendais faire partager au plus grand nombre mes incertitudes ainsi que mes propres jouissances. Discret cependant sur ce dernier point. L'œuvre d'art est faite pour être contemplée dans le silence, non pour servir de prétexte à des discours, lesquels souvent, loin de l'éclairer, l'offusquent. Je pense avec Julien Green que « la beauté échappe toujours aux mots qui veulent la cerner ». Une pudeur aussi me retient de parler de mon propre émoi devant la peinture. Je ne dis rien d'elle. Sinon, comme je l'ai fait pour Skira et dans de courts textes dédiés aux ouvrages de mes amis, dans le dessein d'aider peut-être, plaçant l'œuvre, en historien, au centre d'un système de correspondances, à mieux se pénétrer de ses charmes. Silencieusement.

*
* *

Trois de mes livres prennent place dans le prolongement direct de cette tentative, où s'ébauchait une sorte de sociologie de l'art médiéval. Je ne fais que citer le dernier paru : dans quelques pages introduisant aux différents chapitres, j'énonce là quelques réflexions générales à propos de la sculpture du Moyen Age; publié lui aussi chez Skira, c'est surtout, de mon fait, un hommage à la mémoire d'Albert. J'en dirai plus de *L'An mil* et de *Saint Bernard. L'art cistercien.*

Dans *L'An mil,* la porte du laboratoire s'entrouvre. Les documents ne figurent pas ici en simple appendice, comme dans l'*Économie rurale;* ils forment le corps de ce petit volume. Ces documents cependant relèvent d'un genre particulier. Eux aussi sont presque tous des œuvres d'art. Des œuvres littéraires, des textes, soigneusement polis par des virtuoses de la rhétorique. De la plupart d'entre eux, je venais de me servir pour préparer l'un des trois tomes que j'avais livrés à Skira : ils m'avaient éclairé le sens des enluminures de *l'Apocalypse de Saint-Sever* et du reliquaire de Sainte-Foy de Conques. Pour Pierre Nora, qui m'avait passé la commande, pour la collection *Archives* qu'il avait inventée dans l'intention justement de montrer au grand public avec quoi on écrit l'histoire, je les repris. Je les exploitai cette fois pour eux-mêmes, et c'est ici que je vois encore s'accentuer le tournant qui s'esquissait dans ma façon de travailler. Je changeai de matériau, un peu comme un sculpteur abandonnant le bois pour le marbre. Je me détournai des chartes, des inventaires, des témoignages brefs que livrent ces sources abruptes, rêches, sans apprêt, sur quoi toute ma thèse de doctorat s'était fondée. Dorénavant, j'allai lire surtout des récits, des poèmes, en latin ou en d'autres langues, des écrits reflétant d'une manière moins directe, moins naïve la vie en société, déformés, compliqués qu'ils sont par le souci de plaire, de répandre une certaine doctrine, mais aussi moins secs, plus loquaces, d'interprétation en tout cas plus ardue. Pour en extraire le sens, je tirai parti de l'expérience récemment acquise lorsque je m'interrogeai sur l'œuvre d'art pour la placer dans son contexte. Je posai à leur propos des questions analogues : où, pour qui, dans quelle intention ces textes avaient-ils été rédigés ? Et comment les mettre en rapport avec les systèmes de valeurs, les modèles de comportement, tout ce corps de représentations confuses que nous nommions mentalités ?

L'esquisse d'une histoire des idéologies, des réflexions que j'allais développer dans un chapitre de *Faire de l'histoire,* puis dans *Les Trois ordres,* se découvre ainsi dans ce livre, et j'aperçois que c'est bien en le composant que ma position face au témoignage, à la source écrite, s'est décidément renversée. J'avais demandé jusqu'alors aux documents qu'ils m'enseignent la vérité des faits dont ils avaient mission de conserver le souvenir. Il m'était vite apparu que cette vérité est inaccessible et que l'historien n'a la chance de s'en approcher qu'au niveau intermédiaire, au niveau du témoin, en s'interrogeant non point sur les faits qu'il relate, mais sur la manière dont il les a rapportés. Voici pourquoi je prête maintenant plus d'attention aux récits, aussi fantasmagoriques soient-ils, qu'aux notations « objectives », décharnées, que l'on peut glaner dans les archives. Ces récits m'apprennent davantage, et d'abord sur leur auteur, par ses louvoiements, ce qu'il peine à dire, ce qu'il ne dit pas, qu'il oublie ou qu'il cache. Or c'est à lui que je m'attache, retenant en premier lieu de ses paroles ce qu'elles révèlent de sa propre culture, de ses espérances, de ses craintes, de la façon dont il pense le monde, dont il se pense lui-même. L'image qu'il se fait de lui, voilà ce que je cherche à reconstituer. Je suis maintenant convaincu de toucher ici à la seule « réalité » que je puisse atteindre, et que, par exemple, des femmes du XIIᵉ siècle, je ne saisirai jamais rien de plus vrai qu'une image, celle qui flottait dans l'esprit des rares hommes dont nous avons conservé les écrits. Je peine souvent à faire admettre cette évidence. J'en vois la preuve dans l'âpreté des discussions qui m'opposaient constamment dans mon séminaire à Karl Ferdinand Werner, bel historien des institutions. Je ne pouvais le convaincre. Il s'en tenait obstinément à la lettre du texte sans s'inquiéter de l'idéologie dont l'auteur de ce texte était prisonnier et dont il convient, je pense, de préalablement s'informer afin de voir plus clairement le vrai que cette idéologie masque et dénature. Quant à moi, depuis que j'ai pour *L'An mil* rassemblé et analysé quelques-unes de ces sources que nous disons narratives, je moissonne abondamment parmi les phrases alambiquées d'un Raoul le Glabre, d'un Guibert de Nogent, d'un Lambert d'Ardres, ces écrivains superbes et bavards que méprisaient tant les positivistes parce qu'ils mentent parfois et qu'ils se trompent souvent, à propos d'une date ou d'un lieu.

*
* *

DE L'ART

J'avais connu Yves Rivière à Genève chez Skira. Il imaginait en 1970 une collection de beaux livres qui évoqueraient de grands bâtisseurs, pensant à Chapour, à Frédéric II. Il pensait aussi à saint Bernard et me suggéra de poursuivre les réflexions sur l'art cistercien que j'avais engagées dans *L'Europe des cathédrales*. Ce nouvel essai ne fut pas seulement le développement d'un état préparatoire. Je partais certes du même pas, entraînant le lecteur à ma suite, nous approchant à travers fourrés et fondrières du Thoronet, de Fontenay, de Rievaulx, de ces cloîtres, de ces églises aujourd'hui vides, mais que le sacré remplit à plein bord, où il s'affirme avec d'autant plus de puissance que ces lieux sont laissés à leur nudité sublime. Je m'appliquais à rendre ce visiteur plus sensible encore à la beauté de ces édifices en lui montrant ce qu'ils avaient été pour ceux qui les bâtirent, à la fois offrandes, actes de louange, trophées célébrant des victoires quotidiennement remportées sur soi-même et sur le désordre du monde, instruments enfin d'un perfectionnement progressif, puisqu'ils désignaient des routes ascendantes, puisqu'ils aidaient par l'exemple de leur rigueur à se hausser de degré en degré jusqu'à la perception de vérités indicibles. Mais je fus ici beaucoup plus attentif à définir les rapports entre une œuvre d'art, ce monument qui se répandit, démultiplié, à travers toute l'Europe tandis que se poursuivait au long du XIIe siècle l'expansion fulgurante de l'ordre de Cîteaux, et un propos spirituel, celui que l'abbé Bernard de Clairvaux porta au plus haut de ses exigences. Ceci m'obligea à pénétrer la pensée de cet homme, dont m'éloignaient son excessive violence et cet acharnement farouche qu'il mettait à faire le salut des autres malgré eux, que j'ai lu avec passion, envoûté par sa prose admirable et conduit par lui vers ces provinces de la haute spiritualité que l'on ne peut se dispenser d'avoir frôlées si l'on veut écrire convenablement l'histoire des sociétés du Moyen Age.

Je ne serais sûrement pas entré en communication aussi intime avec une architecture dont j'avais décidé de présenter une sorte d'exégèse sans les séjours que je fis à l'abbaye de Sénanque, où Emmanuel Muheim et moi avions fondé ce centre d'études médiévales qui n'a pas survécu au retour des religieux. Je me suis là vraiment incorporé à ces édifices. J'ai cru comprendre un peu les intentions des moines qui en calculèrent les parfaits équilibres pour avoir après eux vécu de longs moments de solitude et de silence dans l'un de ces « déserts » où les communautés cisterciennes choisissaient de s'établir, pour m'être attardé à toutes les heures du jour et de la nuit entre des murs dont les pierres, par la rudesse de leur grain et la franchise de leur ajustement, avaient élevé l'âme de ces reclus volontaires à la *simplicitas* propice aux illuminations de la grâce. Il n'y a pas que Sénanque, et je dois rendre grâce ici aux lieux où je me suis installé pour écrire, chaque fois que j'en étais arrivé à tirer un texte de mes fiches. Si j'ai tenu à indiquer que tel de mes livres fut composé sur le plateau de Valensole, tel autre à Beaurecueil, ce fut un peu par coquetterie. Ce fut surtout par reconnaissance : la sérénité de ces retraites m'a soutenu dans le moment, pour moi difficile, de la rédaction. La proximité de la nature dans ce qu'elle a d'austère et de libre m'est nécessaire. Pour cette raison aussi, conscient de ce que j'eusse perdu à me laisser entraîner trop tôt dans le tohu-bohu parisien, je résistai aux appels de Paul Lemerle qui, dès 1960, me pressait de venir le rejoindre à la Sorbonne.

XI

Le Collège

Dix ans plus tard je quittai l'université d'Aix. Fernand Braudel avait eu raison de mes résistances.

J'admirais Braudel. Je tiens *La Méditerranée au temps de Philippe II* pour l'un des grands livres d'histoire qui furent écrits en notre siècle. Je survolais la mer dans un avion qui me menait à Istanbul lorsque j'en commençai la lecture, il y a trente-cinq ans, et, sur la mer cette fois, croisant tout récemment devant Lepante, je savourais encore l'une après l'autre, dans une jubilation égale à celle ressentie la première fois, ces phrases par quoi l'on pénètre d'un coup au cœur du tumulte et dans les tourbillons sanglants de l'immense victoire. J'ai conscience de m'être sans cesse référé à cette œuvre magnifique, modèle de ce que je m'efforce aujourd'hui d'écrire. En elle s'accomplit ce dont rêvaient les fondateurs des *Annales,* sans que pourtant soit négligé, par rapport à l'économique et au social, le politique, pas plus que ne le sont, par rapport aux oscillations de la conjoncture et à ce qui échappe aux changements visibles, l'improbable, le fugace, les trépidations de l'événement, ni même ce que l'on peut discerner, dans ses répercussions sur le déroulement des affaires, du tempérament personnel des maîtres de la guerre ou des finances. Ce livre me retient surtout par sa grandeur, une ampleur monumentale à quoi ni Lucien Febvre ni Marc Bloch n'ont atteint. J'ai le sentiment que le parcours en reste inépuisable, comme de ces palais de la côte amalfitaine où l'on peut indéfiniment errer de galeries en portiques parmi des terrasses noblement étagées devant les horizons de la mer.

Plus que l'admiration, la gratitude m'attachait à Braudel. J'avais reçu, je recevais largement mon lot des faveurs que cet homme, avide d'être aimé, distribuait de toutes parts. Je ne parle pas des moyens, je n'en sollicitais pas. Je parle des encouragements. J'en avais grand besoin. Il me les prodigua. Il insistait pour que je sorte de ma tanière, commençant par m'offrir un poste à la VIe section de l'École pratique des hautes études. Je fis la sourde oreille. Puis, pendant deux, trois ans, chaque fois qu'une chaire devenait vacante au Collège de

144

France, il me pressait de me porter candidat. Je me dérobais encore. Je connaissais quelques-uns des professeurs du Collège, Dion, Gourou, Lévi-Strauss qui m'avait invité à parler dans son séminaire. Ils m'intimidaient. Et puis, j'ai de l'orgueil : je redoutais l'échec. J'attendis de n'avoir pas à me heurter à un concurrent. L'occasion vint. En 1970, Paul Lemerle me présenta. Je fus élu. J'entrai et me soumis, en même temps que Raymond Aron et Michel Foucault, à ce que je croyais devoir être la dernière épreuve, le dernier rite de passage, redoutable, la leçon inaugurale. Au fond, ma longue résistance venait de l'idée que je me faisais du Collège. Il me semblait inaccessible. Dès que je vis possible de m'y faire accepter, je cédai. D'autant que je n'étais pas astreint à m'éloigner trop de la Provence. La charge d'enseignement, fort lourde, peut ici se concentrer chaque année en quelques semaines. Il m'était par conséquent loisible de faire alterner les longues périodes de paix qui me sont indispensables pour élaborer un cours ou un livre, avec ces moments d'agitation fiévreuse, féconde, où, dans Paris, tout en récoltant l'information dont je me servirais plus tard dans ma retraite, je m'ouvrais tout entier aux divertissements, entouré de très précieuses amitiés nouvelles.

Je dus pourtant sacrifier un plaisir, celui, très vif, que je prenais à enseigner de jeunes étudiants, frais, réceptifs, confiants. Au Collège de France, notre mission principale est de poursuivre des recherches. Nous devons en divulguer les résultats, et cette obligation est salutaire. Elle nous épargne le dessèchement que risque le chercheur isolé. Toutefois nous n'avons plus d'élèves, nous n'avons que des auditeurs. Chaque jeudi, je me suis présenté devant une assistance proprement abstraite. Aucun contact possible avec ceux qui venaient m'écouter. J'entrevoyais à peine leurs visages, ne connaissais ni leur âge, ni leur profession, ni le niveau de leur culture, ni ce qui les attirait dans cette salle (puisque les portes en sont ouvertes à tout venant, puisque, comme je l'ai entendu dire avec emphase par François Perroux, « nous nous adressons à la France »). J'ai pourtant reconnu dans ce public évanescent d'étonnantes assiduités. Certains m'ont suivi depuis mon élection jusqu'à ma retraite. Mais combien, venus en curieux, n'étaient là que de passage ? Or, parmi ces visiteurs, il pouvait se trouver par hasard le spécialiste de la question que je traitais, et qui la connaissait beaucoup mieux. Qui d'entre nous n'a pas ressenti de l'anxiété au moment de faire son entrée, magistrale et crispée, dans la salle 8, précédé de l'appariteur ? Ceci en tout cas nous oblige à nous dépasser toujours, et dans une tension qui fait de ce devoir pédagogique un accablant fardeau. Du moins l'exercice est-il singulièrement fertile.

J'ai pourtant tiré bien davantage du séminaire. Là, je me suis livré tout entier pendant vingt et un ans, porté par le petit groupe qui me rejoignait dans l'étroit espace où nous avions choisi de nous réunir, espérant que son inconfort découragerait les simples amateurs. Il fallait nous en défendre, transgressant par toutes sortes de stratagèmes la règle du libre accès. Nous étions là entre initiés, entre complices, médiévistes bien sûr, mais aussi anthropologues, historiens des littératures, historiens de l'art, du droit. Le séminaire fut le banc d'essai où je venais éprouver mes hypothèses, soumettre mes premiers brouillons à mes collègues de la Sorbonne ou des universités étrangères; nous écoutions ensemble ce que de plus jeunes historiens voulaient bien proposer à nos réflexions, et dont j'ai tiré quantité d'idées neuves, d'incitations à rectifier mes propres enquêtes. C'est dans cet atelier que la matière de tous mes ouvrages fut dégrossie. Je la reprenais, après l'avoir affinée, dans le cours. Pour ensuite, au calme, en Provence, procéder aux ultimes finitions. Ainsi, fonctionna l'engrenage par quoi, tout au long de ma carrière, mon métier d'enseignant s'est conjugué à mon métier de chercheur et à mon métier d'écrivain.

*
* *

Je partis pour Paris au bon moment, deux ans après 68. Je ne fus en rien, personnellement, affecté par la crise, mais la faculté d'Aix, que j'avais vu s'épanouir pendant deux décennies et où j'avais été si heureux, ne s'en est jamais remise. Il était grand temps pour moi de m'en éloigner. Alors qu'au contraire le Collège de France semblait revigoré. Je l'avais connu presque vide. La première fois que j'y vins pour entendre Lucien Febvre, j'étais arrivé très tôt, craignant de ne pas trouver place. Longtemps je restai seul, absolument seul, dans la salle. Deux autres *aficionados* survinrent enfin, précédant de peu le maître, lequel régala d'une éblouissante leçon sur Calvin un auditoire réduit à trois personnes, pas une de plus. Après 1968, l'éclatement de la Sorbonne et son fléchissement détournèrent beaucoup de jeunes vers le Collège. On les voyait en envahir les cours, se presser autour de Michel Foucault, de Roland Barthes que j'ai vu l'un et l'autre trembler à l'instant d'affronter ces foules. Le plus important pourtant n'était pas là, mais dans le fait que les historiens professionnels établis

148

à Paris devinrent, au début des années soixante-dix, des auteurs à succès.

Pour quelles raisons? Est-ce l'effet de l'épuisement du genre romanesque, venu rendre à l'essai le large espace qu'il avait occupé au XVIIIe siècle dans la production littéraire française? Quoi qu'il en soit, une part du grand public se prit spontanément à préférer l'histoire à la fiction, et non seulement l'histoire des événements, celle aussi des manières de vivre. Ce déplacement du goût procède-t-il de l'écœurement sournois que suscite la grisaille uniforme de la civilisation des grandes villes, des grands ensembles, des grandes surfaces, des grandes vitesses, et qui porte à chercher ailleurs de vraies saveurs? Le besoin de prendre le large vers d'autres rivages, en quête d'environnements moins aseptisés, moins monotones n'explique-t-il pas la surprenante faveur dont jouit l'histoire, en particulier l'histoire médiévale? Le Moyen Age n'est pas un monde imaginaire, mais il est presque inconnu. On le découvre. Y pénétrer dépayse, toutefois sans trop inquiéter. On s'y sent chez soi, comme dans une demeure de famille que l'on retrouverait aux vacances. On y croise des hommes et des femmes bizarrement vêtus, dont la façon de se tenir déconcerte; on ne comprend pas toujours bien ce qu'ils disent; toutefois, ce sont nos ancêtres, nous en avons hérité; les mots qu'ils emploient, les gestes qu'ils font, les passions qui les agitent sont à peu près les nôtres, et ce qu'ils croient ne paraît pas au fond si étrange. Partir à leur rencontre, c'est un peu revenir au bercail.

Le marché du livre d'histoire s'élargit donc. Mais il existait déjà, fort étendu. Car, ne nous méprenons pas, la première fonction du discours historique a toujours été de divertir. La plupart des gens lisent de l'histoire pour se délasser et rêver. Ce qui changea, c'est que les éditeurs adoptèrent une autre politique. Pour satisfaire leur clientèle, ils cessèrent dans ces années-là de faire appel uniquement à des historiens amateurs. La mode parisienne en ses fluctuations a d'étranges effets. *Les Mots et les choses, Le Cru et le cuit* venaient de remporter de vifs succès de librairie, étonnants car ces livres ne sont pas de lecture facile. Les éditeurs s'avisèrent qu'ils pourraient exploiter avec autant d'avantages l'œuvre de Dumézil, celle de Braudel. Ils en préparèrent le lancement. Ces deux savants de première grandeur, qui de surcroît savaient écrire, étaient parfaitement inconnus du grand public. Brusquement, leurs livres s'étalèrent aux devantures, leurs visages parurent sur les écrans, partout. Dans le même temps, *Montaillou,* que l'éditeur avait hésité à publier craignant l'échec, fit, comme on dit, un tabac. Un siècle après s'être effacée, retirée dans les opacités de l'érudition, l'histoire sérieuse fit ainsi sa rentrée dans le champ des productions littéraires de forte consommation.

Il s'agit là d'une inflexion considérable dans le cours de l'histoire culturelle française. Nous n'en sommes en rien responsables. Nous ne nous sommes pas précipités au-devant du succès éditorial. Nous avons simplement répondu à des sollicitations. Pourquoi nous serions-nous dérobés? Notre devoir n'est-il pas de répandre ce que nous savons, et le plus largement possible? On nous offrait le moyen d'étendre cette diffusion bien au-delà du cercle exigu des conciliabules universitaires. Nous le saisîmes. Nous ne l'avons pas regretté. Sans doute une telle ouverture ne fut-elle pas sans retentir sur la pratique de notre métier. Le plus urgent fut de nous défendre contre toute complaisance à l'égard des nouveaux lecteurs. Mais il fallut aussi nous efforcer de les atteindre et de les retenir. Nous dûmes donc adapter notre manière d'écrire, rendre notre discours moins rebutant, réduire, voire totalement supprimer les notes que, par habitude, nous accumulions au bas des pages de nos articles. Nous dûmes assouplir le style, nous montrer, si nous le pouvions, plaisants. Toutefois, je ne pense pas que le courant de nos recherches ait été pour autant dévié. Le retour au politique, à l'événement, à la biographie, donc au récit, a, je le dirai, d'autres causes, même s'il fut favorisé par l'attente du public. En fin de compte, nous fûmes fortement stimulés par l'intérêt dont nos travaux devinrent l'objet. Sortir de nos repaires fut bénéfique. Pour nous-mêmes, mais aussi pour le progrès de la connaissance historique.

*
* *

Lorsque j'entrai au Collège de France, Skira m'avait ouvert déjà ces nouvelles audiences. A vrai dire, les ouvrages que j'avais écrits à sa demande n'avaient pas connu grand succès, victimes sans doute de l'audace même, de la nouveauté du projet. C'était d'ailleurs de ces « beaux livres », que l'on achète justement pour leur beauté, pour la qualité des images, sans guère se soucier du texte. Qui le lit ? Pour que le mien trouvât des lecteurs nombreux, il fallut que Pierre Nora le reprît un peu plus tard, retouché ici et là, et le publiât seul, sans illustrations ou presque. A ce moment, j'étais en train d'exécuter une nouvelle commande. Pour la collection qu'il dirigeait chez Gallimard, Gérard Walter m'avait proposé de présenter l'une des « trente journées qui ont fait la France », le dimanche de Bouvines. J'avais accepté, à la grande surprise, à l'indignation peut-être, de mes amis. Ils

152

s'étonnaient de me voir traiter d'un événement, une bataille. Je leur semblais retourner à ce genre d'histoire dont on se gaussait aux *Annales*. En fait, j'avais accepté pour deux raisons. L'une, puérile. Il me plaisait vivement de paraître sous la couverture blanche de la NRF, celle de la revue, celle de tous les romans dont je m'étais enchanté dans mon adolescence. Une autre raison me détermina : je savais pouvoir mener l'entreprise en toute liberté. N'allai-je pas rejoindre dans cette collection Edgar Faure, François Mitterrand (j'espère encore qu'il écrira un jour ce *Deux décembre* dont nous parlâmes, il y a quinze ans, toute une après-midi, à Beaurecueil), Jean Giono aussi, dont le *Désastre de Pavie* m'assurait qu'en matière d'écriture je pouvais tout me permettre. Voilà ce qui me décida, la liberté. L'occasion m'était enfin donnée de m'émanciper, de me dégager tout à fait.

Cependant, la vraie libération s'exprima dans la flexion que j'imprimai au programme qui m'était proposé. Il n'était pas question pour moi de raconter l'événement. Il l'avait été, très convenablement, au début du siècle, dans l'un des volumes de l'*Histoire de France* de Lavisse, auquel délibérément je renvoyai. De l'événement j'entendais me servir. Comme d'un révélateur. Utilisant toutes les paroles que son éruption avait fait jaillir. Car c'est en cela que l'accident événementiel peut nous intéresser, nous historiens des structures. L'événement explose. Son choc retentit au plus profond, et nous pouvons espérer voir remonter, émergeant de la pénombre où ils sont ordinairement enfouis, quantité de phénomènes dont, dans le cours habituel de la vie, on ne parle pas à voix haute. Or, tandis qu'on parle de l'événement, dans le bruit qu'il fait, dans ce brouhaha, cette insolite inflation du discours, il est fait allusion ici et là à ces choses si simples et si banales que nul ne songe à les noter et qui pour cela nous échappent, à nous historiens. En outre, lorsque l'événement est d'importance, on en parle, et ce que l'on en dit se transforme peu à peu par le jeu complexe de la mémoire et de l'oubli. Ces modifications sont encore pour nous révélatrices de ces forces obscures qui agissent au cours des générations sur le souvenir.

Je me suis donc saisi de toutes les relations que l'on conserve de la bataille de Bouvines. Je partis de la première, du bref récit rédigé à chaud par Guillaume le Breton, chapelain du roi de France Philippe Auguste, qui, sur les talons de son maître, se trouvait dans le champ du combat, en première ligne, le 27 juillet 1214 et qui fut le vrai créateur de l'événement, puisque l'événement n'existe jamais que par le rapport qu'on en fait. Ces propos, je les ai recueillis comme un ethnographe recueille ceux de l'informateur indigène qu'il s'efforce de faire parler. Je les ai attentivement écoutés afin de comprendre comment en France, au début du XIIIe siècle, on se représentait l'action militaire (et prenant par ce biais les témoignages, je poussais plus avant dans l'exploration de la société féodale, laquelle est tout entière dominée par les gestes et la culture des gens de guerre). Toutefois, dans ces textes, je commençais encore par considérer des mots, les mots majeurs. Ils m'étaient familiers. Mais je les trouvais ici, parsemant une trame différente, chargés d'un sens qu'ils n'avaient pas dans les chartes ou dans les inventaires. Ce sens, je m'appliquai à l'éclairer, tentant de mieux comprendre ce qu'avait pu être pour les hommes qui en ce temps les avaient eus dans la bouche, la paix, la guerre, et surtout la bataille, ce recours solennel, exceptionnel, liturgique, au jugement de Dieu.

J'essayai aussi de discerner le comportement de ces garçons et de ces hommes plus mûrs, parfois déjà perclus, qui, vociférant, crevant de soif, aveuglés par la poussière des épis piétinés, s'étaient agités comme des forcenés, ce jour d'été, dans leur cuirasse. De quel outillage étaient-ils pourvus ? Quels gestes faisaient-ils, maniant ces armes, conduisant leurs montures ? Je tentais même de pénétrer jusque dans leur conscience. A quoi jouaient-ils ? A quel moment, cette joie qui, dans les débuts de l'engagement, faisait du combat une fête, avait-elle basculé dans l'exaspération de la violence, s'était-elle transformée en un goût furieux, aveugle, de détruire et de ramasser les débris de ce qui tombait dans les fracas de la débandade? Les chevaliers avaient-ils peur? Et de quoi? De quel héros mythique s'acharnaient-ils à imiter l'arrogance? Qu'entendaient-ils au juste par prouesse, loyauté? Où se situait pour eux le point d'honneur? Bref, je les observais comme Margaret Mead avait observé les Manus. Aussi désarmé qu'elle, mais pas plus.

A cet essai d'anthropologie de la guerre féodale, j'ajoutai la tentative d'une histoire du souvenir. Car le souvenir de l'événement avait été manipulé et, très vite : le même Guillaume le Breton, avait tiré de son reportage, dix ans après la bataille, une épopée de près de dix mille vers. Je voulais montrer comment, au cours des âges, et dans quel dessein, la mémoire de Bouvines fut exploitée à des fins politiciennes, et jusqu'à nos jours où cette mémoire est complètement évaporée, susceptible pourtant de se réveiller, qui sait? au service de telle ou telle cause. Je me revois à chaque étape de ce travail dans une constante allégresse. Il me semble avoir écrit ce livre avec plus de plaisir que tout autre, et je crois que cela se sent.

Les Trois ordres, pourtant, furent préparés dans un contentement presque égal, plus vif en tout cas

156

qu'on le penserait en lisant ce livre sévère. Le manuscrit terminé, je le proposai. Les portes de l'édition m'étaient maintenant largement ouvertes. Il fut accepté. C'était la première fois depuis ma thèse que je n'avais pas travaillé sur commande. J'avais seul décidé, hardiment, de présenter au public le résultat de recherches austères, poursuivies dans le séminaire durant les trois premières années de mon enseignement au Collège de France. Nous nous étions fixé pour tâche de repérer l'émergence et de suivre l'évolution d'une idée, celle d'une société parfaite, où les hommes se répartiraient en trois catégories, chargée chacune d'une fonction, les uns priant, les autres guerroyant, les autres enfin travaillant pour tout le groupe, l'ordre et la paix reposant sur un tel échange de services mutuels. De cette figure idéale, nous avions voulu cerner la place qu'elle avait occupée dans les représentations mentales en France, entre l'an mil et les lendemains de Bouvines (je ne sortais pas du cadre dans lequel j'avais conduit mes premières recherches), et bien voir comment elle s'y était enracinée jusqu'à devenir l'un des socles sur quoi reposa l'Ancien Régime.

Je donnai à l'ouvrage un second titre : l'*Imaginaire du féodalisme*. Je n'avais pas choisi le mot « féodalisme » seulement pour faire enrager mes amis antimarxistes. Je tenais à situer exactement mon propos dans le droit fil d'une enquête d'histoire sociale dont les premiers questionnaires s'étaient édifiés par référence à la pensée marxienne et qui, dans son progrès, ne s'était nullement retournée contre celle-ci. Son développement naturel l'avait menée un peu plus loin que Marx et Engels n'étaient allés, et ceci parce que de leur temps on en savait trop peu sur les sociétés du Moyen Age. Dans le prolongement d'une étude approfondie des structures matérielles, je m'avançais délibérément vers d'autres formes qui n'existent que dans la pensée. Persuadé que l'homme ne vit pas seulement de pain, j'entendais mesurer quel est le poids du mental sur le destin des sociétés humaines. C'était refuser de m'en tenir au matérialisme, mais ce n'était pas rompre, encore moins renier, comme tant d'autres le faisaient, bruyamment, jetant leur gourme. Ce qui fut fort bien compris dans une séance du centre d'études marxistes du boulevard Blanqui qu'Ernest Labrousse m'avait fait l'honneur de présider, où toute une soirée nous débattîmes de mon livre avec ardeur et profit.

Quant à l'autre terme, « imaginaire », je le prenais dans son sens le plus large, pour désigner ce qui n'existe que dans l'imagination, cette faculté que possède l'esprit de forger des images. A juste titre, me semble-t-il, puisque mon intention était d'écrire l'histoire d'un objet très réel bien qu'immatériel, la représentation changeante que la société dite féodale se fit d'elle-même, de saisir de cette représentation l'une des formes, construite sur un schéma ternaire dont Georges Dumézil avait décelé les traces au plus profond de la culture « indo-européenne ». J'étudiai les apparitions de cette figure, les transformations qu'elle subit durant deux siècles dans ses rapports avec le concret des relations sociales, et c'était en cela, par mon souci d'insérer ce schéma structurel dans la durée et dans le vécu, que ma recherche différait de celle de Dumézil. Je voulais tenter d'apercevoir comment une image de cette sorte est bâtie, se diffuse, s'use, s'efface brusquement devant une autre ou bien s'ajuste à petits coups pour ne pas céder la place, jusqu'à se retourner complètement. Et pourquoi, dans la poursuite de quel idéal, au service de quels intérêts ? Je me lançai dans une histoire assez nouvelle et dont, dans une note de méthode, j'ai montré les difficultés, l'histoire de ces utopies justifiantes, rassurantes que sont les idéologies, images ou plutôt ensembles d'images emboîtées, qui ne sont pas reflet du corps social, mais qui, projetées sur lui, voudraient corriger ses imperfections, orienter sa marche dans un certain sens, et qui pour cela sont à la fois proches et distantes de la réalité sensible.

Je ne m'attendais pas à ce que cet essai très savant et qui ne s'appliquait pas à séduire, se vendît si bien, et j'ai de l'estime pour ceux qui voient en lui le meilleur de mes livres. Effectivement, il marque une étape importante dans l'itinéraire que j'ai suivi. Déjà, dans *Bouvines,* je m'étais évertué à m'identifier aux chevaliers, je m'efforçais d'apercevoir comment ils voyaient le monde lorsqu'ils se lançaient au galop les uns contre les autres en évitant de trop s'abîmer. C'était une manière de poser un problème majeur, et de l'approcher : quel rapport existe-t-il entre l'évolution d'un système de valeurs et celle d'une formation sociale. Ce même problème, je l'avais effleuré sous un autre angle, quand, réfléchissant sur l'art cistercien, je pressentais la nécessité de prendre en compte, lorsque l'on étudie les ordonnances et le fonctionnement des sociétés humaines, ce qui les relie au sacré. Ici, dans les *Trois ordres,* je m'attaquais directement à ce problème. Passant en revue toutes les formules employées, toutes les grilles expérimentées aux XIᵉ et XIIᵉ siècles par les hommes de culture pour se reconnaître dans la complexité des conditions et des statuts sociaux, je vis apparaître, cette fois en vive lumière, les axes d'une organisation dont j'avais eu l'intuition, je dis bien l'intuition, lorsque, pour ma thèse de doctorat, je dépouillais, malhabile encore, les cartulaires de Cluny. Je découvrais plus abrupte cette fracture que m'avait révélée le jeu de deux institutions judiciaires distinctes, entre ceux qui supportaient les taxes seigneuriales et ceux qui en consommaient le produit, entre les hommes de peine et les hommes de loisir, entre le peuple, fouetté, taillé, exploité, et les protecteurs attitrés de son corps et de son âme. J'entendais maintenant les maîtres proclamer cette coupure providentielle, conforme aux intentions divines, je la voyais sacralisée et présentée comme l'expression même de la justice. Mais je discernais aussi, pointant, prenant vigueur, s'encastrant comme un coin entre les deux classes affrontées, les écartant peu à peu l'une de l'autre, un groupe médian, formé par les serviteurs et les parasites du pouvoir, qui, l'aidant à gérer ses droits et à parer ses fêtes, s'enrichissaient à ses dépens, une catégorie nouvelle que nul ne savait d'abord comment nommer, dont l'extension et l'élévation rapides rendaient inadéquates les classifications sociales trop simples, obligeant les théoriciens à les remanier pour faire place à ce troisième état, ce tiers état, déjà conquérant, et qui, à peine conscient de sa force, se mettait à bricoler son propre système de valeurs. Enfin, je commençais à reconnaître, au sein de la classe dominante, la rivalité entre deux formations culturelles, la chevaleresque et l'ecclésiastique, sans sentir nettement encore la nécessité de poser une autre question, de me demander quel rôle avait tenu l'église dans l'avènement et les transformations du « féodalisme ».

XII

Voyages

Il faut que je dise un mot de mes voyages. Ils s'inscrivent en effet presque tous dans l'exercice même de mon métier. En 1955, je franchis pour la première fois les frontières pour des raisons professionnelles, partant pour Rome où se tenait le congrès qui tous les cinq ans rassemble les historiens du monde entier, grosse foire encombrée, bavarde, sans intérêt sinon pour les ténors qui viennent y parader, et pour les rencontres utiles qu'on y peut faire. Effectivement, c'est là que je me liai à Alexander Gieysztor, Polonais, à Josuah Prawer, Israélien, à Giles Constable, Américain, comme je m'étais lié cinq ans plus tôt, à Paris, lors de la précédente session, à Léopold Genicot, de Louvain, à Rodney Hilton, de Birmingham, à Cinzio Violante, de Pise. Ainsi s'agglutina le noyau

163

primaire de cette constellation d'amitiés confraternelles qui ne cesse de se répandre à travers le monde, et où je trouve plaisir, réconfort, incitation à mieux faire.

Les jeunes gens d'aujourd'hui, très tôt cosmopolites, s'étonneront de me voir à trente ans passés me risquer hors de France. Voyager loin était alors assez nouveau pour un historien. Mis à part les anciens membres de l'École de Rome ou de l'École d'Athènes, lesquels, parmi nos maîtres, s'étaient, si peu que ce fût, expatriés? Marc Bloch, Lucien Febvre, oui. Mais Perrin? Pour Déniau, je suis sûr que non. Que ma génération ait vu la fin d'un enfermement sur l'hexagone où se tenait, de gré ou de force, le plus grand nombre des érudits français ne fut pas sans conséquence sur la manière dont nous avons, à notre tour, écrit l'histoire. Car je suis persuadé que l'historien gagne à ne pas rester cloîtré. Il doit bourlinguer à travers le monde actuel, parmi la diversité des manières de vivre et de penser. A « jouir de tout, s'emparer de la création comme d'une chose qui est sienne », ainsi qu'Alexandre Dumas le dit du voyageur, bien loin de perdre son temps, il s'enrichit. Je n'aurais certainement pas été aussi loin dans l'interprétation des chartes, des chroniques, des sermons, si j'étais demeuré dans ma chambre.

164

Mes voyages se rangent en deux catégories. Appartiennent à la première ceux qui m'ont vraiment dépaysé, où j'ai pris contact avec des cultures différentes, où j'ai pénétré dans des sociétés dont l'évolution s'était poursuivie sur d'autres cadences et qui n'avaient pas encore été touchées, sinon superficiellement, par la modernité. Des voyages qui, de ce fait, furent pour moi comme des leçons de choses. Je juge les excursions de cette nature fort utiles aux historiens des époques anciennes. Elles leur donnent le moyen de confronter la réalité des comportements vécus qu'ils découvrent de leurs yeux, à ce qu'ils s'efforcent d'imaginer, partant de sources d'information lacunaires et ambiguës, des faits et gestes des Romains de la République ou des contemporains d'Urbain II. Ils sont à même de s'immerger dans le courant d'une vie inhabituelle, et cette plongée les aide d'abord, ce qui est l'essentiel, à se défaire de ce qu'ils pensent machinalement, à soulager leur esprit de ce paquet de jugements, de concepts, de croyances – voilà bien les mentalités – qui les empêche d'appréhender dans leur crudité le peu que leur livrent les sources. Cependant, le voyage lointain peut leur apporter davantage. L'expérience qu'ils prennent de rapports sociaux autrement agencés, de systèmes de valeurs différents, les prépare à mieux distinguer ce qui ne varie pas de ce qui change de lieu en lieu et de ce qui bouge avec le temps.

Mes propres équipées, au-delà des mers, ont dessillé mes yeux. Elles débutèrent, aussitôt après la soutenance de la thèse, par le Maghreb, que des liens étroits attachaient alors à l'université d'Aix, où beaucoup de mes anciens élèves enseignaient et que je visitai régulièrement pendant une vingtaine d'années, pénétrant au cours de mes missions successives jusque dans ses recoins très écartés. Puis ce fut, pour des parcours plus brefs, le Proche-Orient, dont je garde l'intense nostalgie, plus tard l'Iran, l'Amérique centrale, l'Asie orientale enfin. Je n'en tirai pas seulement du plaisir. Il me semble que j'aurais moins bien compris, lorsque je préparais *Guerriers et paysans,* ce que désignaient au IXe siècle, dans les *Annales royales* ou dans les capitulaires, le mot *portus,* le mot *mercatus,* si je n'avais pas vu comment on vend les moutons à Ghardaia, ou ce que les Indiennes étalent sur le sol devant elles dans les petits marchés paysans des environs d'Oaxaca. Passer à Bénarès, le long des ruelles qui mènent au fleuve, entre deux rangées parallèles d'accroupis, d'un côté les misérables, la main tendue, de l'autre les changeurs, proposant contre un billet une multitude de piécettes, fait utilement réfléchir sur la fonction de la monnaie dans les sociétés européennes du XIe siècle. Le village carolingien, je l'ai visité plusieurs fois, dans les parages du Xi-Han ou dans la plaine du Gange. Un jour près d'Alighar, je fis arrêter la voiture.

J'avais remarqué, en action, un araire très semblable à celui que l'on voit représenté sur la frise inférieure de la Tapisserie de Bayeux; puis nous partîmes à travers champs, vers des maisons que l'on voyait au loin, à l'écart de toute voie carossable; nous entrâmes, et c'était Orly, Villeneuve-Saint-Georges, tels que les enquêteurs les avaient décrits pour les moines de Saint-Germain-des-Prés il y a douze cents ans, au temps de l'empereur Louis le Pieux. Pour, dans la ferveur du pèlerinage, prudemment encadré par deux croyants, m'être approché, à Meched, de la tombe de l'imam, ensevelie sous un monceau de billets de banque, j'ai le sentiment de mieux lire la vie de sainte Foy de Conques, et je lis mieux, j'en suis sûr, la *Chanson de Roland* ou *Lancelot* parce que le fils du Sultan bleu m'offrit le thé dans son campement, parce qu'il m'est arrivé, à Marrakech, d'être convié à une fête en l'honneur de Fehrat Abbas, avec bouffons, poètes, chœur des filles des tribus, danseuses, et parce que je voyais, au ras du sol, sous les plis de la tente, les yeux, les mains des pauvres qui nous guettaient, attendant la fin des réjouissances pour se précipiter sur les tas de nourritures précieuses que nous allions, seigneurs, abandonner après y avoir porté nonchalamment les doigts. Un autre jour, dans l'une des maigres oliveraies qui, du côté de Foum-Zguid, s'égrènent le long des ouadi dévalant vers le Draa, j'ai serré la main d'un esclave. Il piochait au soleil; assis à l'ombre, son maître le regardait; et le bakchich que nous lui donnâmes parce qu'il avait aidé à changer une roue abîmée sur le semblant de piste, il ne fit que le toucher; ce fut le maître qui l'empocha. Nous étions en l'an mil, je parlais à Aleaume, *servus* de Cluny, à Achard de Merzé, chevalier, sans remarquer d'autres sentiments qu'une connivence assez cordiale entre ces deux hommes, situés dans un rapport hiérarchique qui pour eux allait de soi.

Le merveilleux, de notre temps, me disait le Père Congar, est de pouvoir d'un coup d'avion s'entretenir avec des gens qui agissent et pensent comme on le faisait dans nos pays il y a des siècles, voire au néolithique. Ce que je crois avoir principalement gagné, quant à ma connaissance de la société féodale, à flâner dans les rues de Fès ou dans la Bekaa, ce fut de prendre contact avec des modes de comportement qui sont aujourd'hui chez nous si parfaitement oubliés que nous avons peine même à les imaginer, avec la valeur de largesse, le sens de l'hospitalité, le respect des vieillards, l'immense pouvoir abandonné aux femmes entre elles, bref avec des structures que l'on est en droit de juger analogues à celles que les documents médiévaux font entrevoir et qui sont aujourd'hui détruites en Europe. Lorsque l'historien déambule loin de chez lui, il expérimente les méthodes du comparatisme.

Toutefois ces méthodes ne sont pas sans danger. Il doit se méfier, prendre bien garde de ne comparer que le comparable, et réfréner les bondissements de son imagination que l'ébahissement devant les chatoiements de l'exotique a tendance à dangereusement éperonner. Mieux vaut cependant partir, observer sur place, *in vivo,* que s'enfermer à lire les ethnographes, car ceux-ci font parfois le chemin inverse. Pour décrire l'organisation des peuplades étranges qu'ils considèrent, ils emploient souvent, et sans assez de prudence, les mots mêmes du médiéviste. Ils parlent volontiers de fief, de vassalité, d'hommage à propos de gestes et de rapports qui ressemblent en effet aux rites que l'on accomplissait, aux relations que l'on nouait en Europe au XIIe siècle, mais qui ne leur sont point superposables, car ils s'inscrivent dans un système totalement différent. A lire certains d'entre eux, on verrait la « féodalité » partout en Afrique noire. Trompés par le vocabulaire qu'ils emploient, certains historiens du Moyen Age, et parmi les meilleurs, se sont laissé fourvoyer. Sur le terrain même, la plus grande prudence s'impose. Mais si l'on veille à ne point s'égarer, le profit est inestimable.

*
* *

Les voyages ne sont pas moins utiles à l'intérieur de l'aire culturelle où nous vivons. Ils le sont d'une autre manière. Ils montrent comment ailleurs on fait l'histoire. Je dois ici encore distinguer et distribuer sur trois registres les résultats de ma propre expérience. Je place à part les pays du Sud, l'Italie, l'Espagne. J'y suis chez moi, avec seulement un peu plus de soleil et de joie, et cette bouffée de bonheur qui me soulève dès que j'en franchis les frontières. Je ne connais pas de société universitaire plus heureusement dégagée de toutes les raideurs protocolaires, plus libre, plus chaleureuse et où je me sente mieux à l'aise que l'Espagnole, et l'Italienne l'est aussi, au moins dans certaines provinces. En outre, c'est de ce côté que le genre d'histoire que je pratique est de loin le mieux reçu. Très tôt, Febvre et Braudel ont préparé les voies d'une pénétration profonde de l'esprit des *Annales*. Tous les obstacles, le poids du franquisme pesant sur l'Espagne, cette inclination en Lombardie à regarder vers la science germanique, sont maintenant tombés. Les voies de la recherche ne diffèrent pas de celles que nous suivons. A ceci près qu'on y sent une vitalité, une ardeur juvénile, une fraîcheur d'invention propres à rabattre notre caquet et qui nous contraignent, nous Français, à nous demander combien de temps encore nous pourrons sans ridicule croire tenir la tête du peloton des historiens du monde.

Avec les pays de l'Est, mes relations ont commencé bien avant qu'ils ne secouent le joug, et d'abord dès le début des années soixante, par la Pologne. Au-delà du rideau de fer, j'eus, comme dans l'Espagne de Franco, le sentiment d'apporter un air de liberté à mes collègues et à leurs élèves, plus avides encore qu'eux-mêmes. En vérité, je les trouvai beaucoup moins cassés que je ne le croyais, et mieux informés de ce qui se passait à l'Ouest. Sans doute, les historiens du Moyen Age étaient-ils moins étroitement bridés. Ce n'est qu'aux approches du XIXᵉ siècle que la recherche en histoire passait sous haute surveillance, que l'on sentait s'alourdir le poids du dogmatisme et du pouvoir. En tout cas je fus stupéfait par ce qui bouillonnait sous le couvercle, et qui, en fait, au prix de quelques ruses, s'affichait au grand jour. Les Polonais ne prenaient même plus la peine de se protéger en glissant en notes, dans leurs publications, une ou deux références à Marx et à Engels. A Belgrade, c'était comme si la politique n'existait pas; des communistes en tout cas, mon ami Bozic prétendait ignorer tout simplement l'existence. Les Roumains criaient à tue-tête au café ce qu'ils pensaient, très subversifs, et les Hongrois, moins volubiles, parvenaient sous l'œil des apparatchiks, à se tenir plus loin encore des consignes officielles. Même en Union soviétique où, historien réputé bourgeois, je ne fus admis que très tard, un Gurevitch, un Bessmertny menaient depuis longtemps leur enquête en pleine indépendance d'esprit.

Tout était donc prêt dans ces contrées pour que l'histoire des sociétés déployât ses hardiesses dès que s'effondrerait la carapace, déjà fort démantibulée, et beaucoup plus dans les instituts des académies des sciences que dans les universités. Depuis deux ans, la chose est faite et la nouvelle histoire force triomphalement les derniers barrages qui lui étaient naguère opposés. A Moscou, par exemple, on se rue sur les *Annales,* hier vilipendées. Et parce que, dans la plupart de ces pays dont le développement fut freiné par le poids du socialisme, les structures de l'enseignement et les organes de formation à la recherche sont demeurés plus efficaces que chez nous, parce que les chercheurs y montrent une grande ardeur au travail (car le surcroît de labeur n'était pas pour eux tout à fait sans profit et, pour cette raison, les institutions scientifiques comptaient parmi les très rares lieux où les cadences de production conservaient quelque vivacité), il est permis d'espérer le surgissement, à l'Est, d'un flot d'innovations aussi généreux que celui qui jaillit au lendemain de la guerre en Italie, et en Espagne lorsque le franquisme commença de s'effriter. Dès mes premiers contacts, les audaces des médiévistes me frappèrent. Nous avions à recueillir chez eux plus que nous ne leur apportions, et principalement dans deux domaines.

Dans des régions où les documents écrits antérieurs au XIIIe siècle sont rarissimes, où le marxisme invitait à faire l'histoire de la « culture matérielle » et où le sentiment national pressait de restituer aux indigènes slaves le mérite de ces innovations économiques et sociales du haut Moyen Age que l'enseignement traditionnel attribuait à la colonisation germanique, l'archéologie de la vie quotidienne, du village, de la navigation, du vêtement, de la nourriture s'était très tôt et très fructueusement développée, et j'envoyais de mes élèves se former en Pologne. D'autre part, nous apprîmes là-bas à préparer moins gauchement les approches d'une étude des cultures populaires. Enfin, pour ma part, j'ai ressenti, comme en supplément, dans cette partie du monde aussi, de ces fortes émotions qui arrachent l'historien à ses manières habituelles de se figurer le passé, que ce soit dans les solitudes forestières du Jastrebac ou dans les hameaux des bords du Narev où se pratiquait encore l'assolement triennal, ou bien dans ce monastère d'Olténie, suspect alors d'abriter un émetteur clandestin à destination de l'Ouest, où j'occupai une nuit la chambre du métropolite et dont l'abbesse vint me servir le soir de ses mains un repas de confitures et de laitage.

Quant aux autres pays qui partagent notre culture, j'en ai reçu surtout des mises en garde, fortes et bénéfiques. Déjà de la Belgique, des Pays-Bas, de la Suisse, pourtant si proches, mais où nos confrères sont beaucoup moins satisfaits d'eux-mêmes, beaucoup plus ouverts surtout sur l'extérieur, ne serait-ce que par la pratique d'autres langues, et professent un salutaire respect de la bonne érudition. Même leçon de modestie, de sérieux et de prudence dans les collèges d'Angleterre où se situe, je crois bien, la pointe extrême de la distinction intellectuelle. Dans les universités américaines, l'étude du Moyen Age se tient, et tout naturellement, dans une position marginale, un peu comme chez nous l'indianisme, ce qui n'est pas sans avantage. Elle y est menée avec une remarquable acuité. Principalement l'histoire de la culture, sous ses formes littéraires, artistiques, religieuses, philosophiques, juridiques, ce qui relègue parfois au second plan l'histoire au sens étroit, en particulier celle des sociétés. La tradition germanique conserve ici de solides positions d'où l'on regarde avec étonnement et non sans quelque réprobation la façon dont les historiens des *Annales* posent les questions. Ne prenons pas à la légère les reproches lancés, ironiquement, contre le *french impressionism.* Consolons-nous pourtant : nos confrères ne sont-ils pas là-bas pris dans un système de carrière plus cruel encore que celui d'où sortent laminés les jeunes médiévistes d'Europe? Les recherches ne s'enferment-elles pas souvent dans des programmes trop étriqués? Et ces équipements si performants que nous envions, sommes-nous sûrs qu'ils ne produiraient pas davantage à Grenade ou à Prague? Enfin l'Allemagne. Après avoir reconnu ma dette, considérable, envers tout ce qui m'est venu d'outre-Rhin, de Münster, de Fribourg, de Göttingen, et sans quoi je n'aurais pu conduire comme il fallait l'étude des structures de parenté dans l'aristocratie féodale, j'aperçois de ce côté les domaines de l'histoire médiévale comme un espace clos, un bastion qui, hier encore, n'avait pas déverrouillé ses accès. Du sérieux, certes, fort efficace, trop de sérieux à mon gré. Bien sûr, ce que je dis vient d'impressions très subjectives. Mais je ne puis m'empêcher de revoir, il y a six ou sept ans, l'aréopage muet, fermé, des patrons de l'université écoutant mes conférences. Toutefois je revois aussi leurs élèves, m'attendant à la sortie. « Ils sont comme ça, me disaient-ils, rassurez-vous, nous sommes là, tout va changer. » C'est vrai, tout change, et très vite. Lorsque les étudiants français se décideront à voyager, lorsqu'ils verront dans quelles conditions leurs camarades allemands travaillent, je pense qu'ils ne supporteront plus celles qu'on leur fait, et qu'ils se révolteront pour de bon, pour de justes raisons.

L'HISTOIRE CONTINUE

Voici à quoi sert de voyager chez nos voisins, à nous réveiller, à nous guérir de la conviction, de moins en moins fondée, de notre supériorité. Et ces voyages risquent fort de devenir sous peu, si nous ne nous ressaisissons pas, plus douloureux encore qu'ils ne le sont déjà pour notre amour-propre.

XIII

Honneurs

Avec l'âge, poussé doucement par de plus jeunes – c'est la vie – on entre sans s'en apercevoir dans ces espaces froids, solennels, où sont parqués les anciens, rangés, embaumés dans les honneurs, où, surchargés de plumets, de glaives, de rosettes, ils font de la haute figuration dans les liturgies du pouvoir intellectuel. Leur fonction principale n'est plus d'agir. Ce qu'on nomme poliment sagesse, est-il autre chose qu'un dépérissement de l'activité créatrice? Ce qu'on leur consent encore est de conseiller ceux qui agissent.

Directeurs de thèses à leur tour, rongeant leur frein de l'autre côté de la barrière durant les longues heures assoupies des soutenances, siégeant aussi dans d'autres jurys où l'on distribue des prix, des récompenses, membres puis présidents de conseils de toutes sortes, bénévoles, mais largement payés par l'illusion d'être puissants, ils n'exécutent plus de commandes, ils en passent eux-mêmes, pour les collections dont un éditeur les a chargés. Ils aiment à gagner des dévouements, ils placent, ils soutiennent leurs poulains, patrons, parrains plutôt. Car, si comme l'a montré Marc Bloch, la féodalité repose sur une trame de liens personnels, la petite société hargneuse que forment en France les universitaires peut être dite, à juste titre, féodale. C'est un tissu de clientèles. Longtemps vassaux, astreints à révérer et à servir un maître, ces vétérans devenus seigneurs défendent âprement leurs feudataires. Par un contrat tacite, et presque toujours respecté, les grâces qu'ils ont reçues obligent ceux-ci à ne pas contrecarrer celui qui les aida. S'agit-il d'une élection, ce jeu plaisant, ils sont contraints de parler pour le candidat que leur protecteur protège et contre ceux qui lui déplaisent.

C'est le moment de veiller au grain. On est devenu très vulnérable. Je ne parle pas de l'envie, des rancunes, de l'ingratitude. Je parle de la crainte d'être oublié qui porte à parler trop, et trop haut. Je parle du temps mangé, perdu dans des futilités, d'une tendance à se monter la tête, à se prendre pour ce que l'on n'est pas. Cependant le danger, à mes yeux le plus grave, s'est accru récemment quand a changé le statut des livres que nous écrivons, quand ils sont devenus des produits de consommation large, des marchandises lancées à grand renfort de publicité. Pour mieux les vendre, on fait de leurs auteurs des vedettes. Périlleuse est notre entrée dans le grand public, l'inclination à lui complaire. Ceci dit, à la fin d'une vie, riche d'expérience et ne faisant plus grand cas des vanités, on a le sentiment d'accéder à la liberté pleine. Quant aux honneurs, ils obligent, c'est ce qui fait leur prix, à se tenir droit, un peu raide, mais tendu dans le fol espoir de pouvoir encore se dépasser.

XIV

De la télévision

Comme beaucoup d'intellectuels de mon âge, j'ai longtemps boudé la télévision. Je la voyais comme une intruse. Elle risquait d'envahir dans mon intimité le champ très large que j'entendais réserver à la lecture, à la musique, aux commerces de l'amitié. J'ai, me semble-t-il, travaillé pour elle avant de lui faire place chez moi. Je fus sollicité pour la première fois en 1972 par Pierre Dumayet. Il projetait de consacrer une émission à l'an mil et nous fîmes ensemble un très plaisant voyage parmi les églises romanes, entre le Rouergue et le Poitou. Dans l'affaire, toutefois, je figurais en simple comparse, la maîtrise de l'ouvrage appartenait à Pierre. Un an plus tard, l'occasion me fut offerte d'utiliser la télévision pour toucher un public je ne sais combien de fois plus vaste. Elle le fut par

Roger Stéphane. Accompagné par un réalisateur, Roland Darbois, il vint me dire au Collège de France : « J'ai lu *Le Temps des cathédrales*. Je veux mettre ce livre en images, en images qui bougent. » Il trouva l'argent, la chaîne, et mit en train une série de neuf épisodes.

J'intervins directement à deux étapes de leur préparation. Avant le départ de l'équipe de tournage, je construisis le plan d'ensemble, je répartis la matière entre les émissions, je choisis avec Michel Albaric la musique d'accompagnement et, ce fut l'essentiel, je désignai les sites qu'il fallait filmer. Les *rushes* qui me furent soumis au retour étaient splendides. Toutes ces œuvres d'art dont je croyais n'ignorer aucun détail, j'avais l'impression de les découvrir. La caméra les avait saisies sous un angle imprévu. Elle avait en outre moissonné au passage quantité d'images à quoi je n'avais pas songé. Les nefs d'églises, vidées de tout leur mobilier, avaient été rendues à la pureté de leurs structures, et l'on avait monté des échafaudages assez haut pour photographier à hauteur d'œil les tympans ou les verrières. Ainsi m'apparaissaient des couleurs, des formes que je n'avais jamais vues. Ébloui, assis devant un « ours », hâtivement façonné et trois fois trop long, je décidai alors sur la table de montage de garder ceci, d'éliminer cela, de déplacer telle séquence. Je composai en même temps un commen-

taire discret que je tins à dire moi-même. Je voulais
en effet que fût directement transmise mon émotion, ce rapport personnel intime, frémissant avec
ces temps très anciens et ce qu'ils nous ont laissé
de plus admirable. Bâties à chaud, face aux images,
ces phrases constituèrent la matière d'un livre nouveau, fort différent de celui dont Roger Stéphane
avait souhaité la transposition audiovisuelle. Voici
la preuve que le labeur auquel, quinze ans après
avoir écrit pour Skira, j'avais consacré tout ce
temps n'était pas simple aménagement, mais création véritable.

Il m'avait aussi montré l'usage que l'historien
professionnel devrait faire de la télévision. Pas plus
que le livre, il ne doit abandonner aux amateurs
cet outil de communication prodigieusement efficace : grâce à lui, l'audience de la bonne histoire
peut s'étendre indéfiniment. En effet, je reçus des
lettres, beaucoup de lettres. Elles venaient de partout, du plus profond de la société. Des paysans,
des religieuses cloîtrées m'écrivirent. Des passants
m'arrêtaient dans la rue, me pressant d'intervenir
afin que la série ne fût pas projetée à des heures
trop tardives : ils souhaitaient que leurs enfants la
vissent. Je pus aussi mesurer les renoncements
qu'exige de nous l'utilisation de ce médium. Il nous
faut concentrer le message, le schématiser, le rendre,
à la limite, caricatural, si nous voulons qu'il soit

reçu, car son passage est extrêmement bref. Des productions si longuement, si minutieusement préparées, et si coûteuses, sont de consommation fugace, et incertaine. Nous travaillons pour l'éphémère, ce qui nous contraint de frapper fort. Encore que m'étonne aujourd'hui le retentissement de ce que nous avons montré et dit dans *Le Temps des cathédrales*. Il n'en finit plus de se prolonger, à force de rediffusions et parce que l'on se sert maintenant des cassettes un peu comme d'un livre, feuilletant, revenant en arrière. Ce qu'un public très restreint, entassé dans un centre culturel, avait pu entendre et voir il y a dix ans en Pologne, en Bohême, en Hongrie, est maintenant partout largement répandu. Je compris enfin que l'historien doit aussi, ce qui requiert de sa part quelque abnégation, s'en remettre entièrement aux professionnels pour le traitement de ce qu'il veut faire connaître. On ne s'improvise pas réalisateur. Monter un film, mixer, bâtir un scénario de manière à retenir l'attention vacillante du téléspectateur s'apprend, et l'apprentissage de ces modes d'expression, très différents de ceux du professeur, du chercheur ou de l'écrivain, est long, délicat. L'historien doit se préparer encore à admettre que le produit ne répond jamais à ce qu'il en attend, et qu'il est mauvais juge.

184

DE LA TÉLÉVISION

Traiter à la télévision du contemporain, de l'histoire immédiate, d'événements récents dont il reste trace sur des bandes filmées est relativement facile. Le passage à l'image d'un passé plus ancien pose en revanche de très ardus problèmes. J'en sais quelque chose. Il fut fortement question de porter à l'écran, au grand écran, le *Dimanche de Bouvines.* Serge July composait le scénario. Nous nous sommes tous deux beaucoup divertis, mais aussitôt heurtés à des obstacles insurmontables. Ça n'était pas tant l'aménagement du décor qui nous arrêtait que la démarche, les gestes, le parler des acteurs. Comment en la personne de comédiens qui sont là, vivants, qui parlent, réincarner sans d'insupportables contresens des hommes dont les actions politiques, militaires ne nous sont pas inconnues, dont nous devinons les croyances et les doutes, dont nous savons ce qu'ils mangeaient, mais dont il ne reste aucun portrait, dont nul ne peut reconstituer avec sécurité le langage qu'ils employaient, ni se représenter le plus quotidien de leur existence? Que répondre à Depardieu lorsqu'il me demandait comment se tenait Philippe Auguste quand il descendait de cheval, dans quelle posture il avait mordu dans un quignon de pain le matin de la bataille, comment il troussait les filles? Et Jeanne, comtesse de Flandre, à qui le public attendait que l'on fît une place? Qui tiendrait l'emploi? Nastassia Kinski? A qui confier ce rôle sans s'effondrer dans l'anachronisme ? J'ai également conseillé Jean Dominique de La Rochefoucault, le très scrupuleux cinéaste de *L'An mil*. Il m'écouta avec la plus parfaite attention. Et pourtant, à la projection, je rougis de tant de menues inexactitudes que j'avais laissées passer. Les difficultés sont telles, les résultats si décevants, qu'il s'impose d'inventer des formes d'exposition simples, un langage, des artifices de mise en scène capables de transmettre sobrement l'idée que nous parvenons à nous faire, nous historiens, des cultures et des sociétés d'autrefois. Ces formes ni ce langage n'existent encore.

Aussi, quand, quelques années plus tard, j'ai travaillé avec Maurizio Cascavilla à une autre série, plus courte, *Le Génie de la terre,* avons-nous décidé de laisser parler les images à peu près seules, ces superbes images que Cascavilla avait récoltées un peu partout. Notre propos consistait à présenter, en même temps que l'évolution de l'agriculture depuis ses origines, ces fruits du long travail paysan, les paysages, dont la beauté procède, comme celle des bâtiments cisterciens, d'un équilibre entre les formes et la fonction atteint dans une parfaite économie de moyens. Nous voulions les montrer dans leur état présent, menacés, mais s'accordant encore, dans quelques régions d'Europe, aux survivances de la vie rurale traditionnelle. Nous souhaitions que le téléspectateur en découvrît les charmes afin qu'il devînt le défenseur de ce qui n'en est pas aujourd'hui tout à fait détruit. Pour cela, il importait, pensions-nous, d'évacuer, nous aussi, tout superflu, de veiller à ce que l'attention, le plaisir ne fussent pas troublés par du bavardage. Quelques phrases seulement, en ponctuation du discours visuel, pour orienter le regard, simplement, et puis, ici et là, expliquer.

*
* *

Mettre la main à la pâte, franchement, vérifier qu'une part du public, beaucoup plus large que l'on croit et que la démocratisation de l'enseignement étend sans cesse, attend de la télévision autre chose qu'une présentation à chaud de l'actualité et des délassements veules me préparait à prendre part, enthousiaste, à la création d'une chaîne française de télévision culturelle. Le président de la République décida dans l'hiver de 1985 l'institution d'une Société d'Édition de Programmes de Télévision, la SEPT. Il l'annonça au Collège de France quand il vint nous remercier de lui avoir remis, sur sa demande, quelques propositions touchant à l'aménagement futur de l'enseignement. L'une d'elles en effet soulignait la valeur pédagogique de l'outil télévisuel. J'entrai dans la société et, pour qu'elle survécût, j'acceptai un peu plus tard d'en prendre la présidence. Dans une conférence de presse, j'exposai alors mes idées sur le projet. Le poids du marché publicitaire entraînait irrésistiblement la production à s'enfoncer dans la médiocrité. Nous voulions renverser le courant. Lucides cependant. Ne cherchant pas à gagner d'un coup, en bloc, la grosse masse des consommateurs, passive. La SEPT entendait toucher les attentifs, ceux qui savent choisir; ils forment des publics multiples, et nous allions tâcher d'apporter à chacun d'eux ce qu'il attend. Nous sentions aussi la nécessité de réprimer ce mouvement de recul que suscite chez beaucoup le mot culture. Ni élitisme, ni ghetto, ni pédagogie pesante. Une place, certes, aux documentaires de création (nous les avons sauvés d'une mort prochaine), mais place également et plus large aux divertissements, aux spectacles, à la fiction. Exhumer des archives les chefs-d'œuvre oubliés, constituer une collection de « classiques » de la télévision, tout en offrant aux créateurs, et notamment aux plus jeunes, aux cinéastes, aux écrivains, le moyen de produire, librement. Nous partions convaincus que la culture est d'abord qualité, rigueur, et puis exigence de progrès, que l'on fait honneur aux gens simples, timides, qui ne se jugent pas capables, quand on place devant leurs yeux des objets qui les intriguent, assez attrayants cependant pour qu'ils aient envie de se tendre jusqu'à les comprendre et les goûter. Molière, Mozart, Visconti, Rouch. En outre, nous préparions ces programmes pour une télévision résolument européenne. Nous nous lancions de toutes parts dans des coproductions, dans la volonté d'ouvrir davantage les Français à ce qui se crée hors des frontières et qu'ils dédaignent, et de projeter au-dehors le plus savoureux de la création française. Tel était notre but. Nous nous sommes acharnés, Michel, Guy et moi, à l'atteindre. Il reste, nous l'espérons, celui de nos successeurs.

Je ne regarde pas sans fierté le capital amassé par la SEPT, minuscule équipe de professionnels de très haut bord, exténués, fervents, et qu'assistait un conseil d'hommes de science et de culture. Ce n'est pas ici le lieu de parler plus longtemps d'activités à qui j'ai sacrifié une bonne part de mon temps, volontiers. Non sans profit d'ailleurs pour mon métier d'historien, et c'est pourquoi je les évoque ici. Car ce métier exige, je n'ai cessé de le dire, l'ouverture. Or je suis entré dans un monde très différent de celui où nous évoluons, beaucoup plus dépaysé que parmi les éditeurs ou les critiques littéraires qui, comme nous, sont des gens du livre, de l'écrit. Producteurs et réalisateurs se meuvent dans l'instable, le temporaire, et pour eux l'argent n'est pas du tout ce qu'il est pour nous. Ce sont, au plein sens du terme, des aventuriers. Dirai-je que, les coudoyant, j'imaginais m'approcher un peu plus des chevaliers de la Table Ronde ? Au point de m'étonner moins de certaines des attitudes d'un Lancelot ou d'un Yvain, de leurs passions, de leurs errances, de leur prodigalité, de ce qu'ils ont aussi, chez Chrétien de Troyes, d'un peu puéril. Présider un moment la SEPT m'introduisit encore en d'autres lieux, eux aussi pour nous lointains, ceux du pouvoir. Pour l'avoir exercé moi-même, au moins très partiellement, j'ai découvert comme le pouvoir se dilue, file entre les doigts, se perd. Où est-il ? Où sont les points de décision ? Les relais ? Où gisent, derrière ces leurres qu'exposent les organigrammes, les réalités de la puissance ? Le milieu universitaire, je l'ai montré, contient beaucoup de féodal. Dans les cabinets ministériels, par la manière dont le pouvoir, âprement disputé, s'y déchire, il y a, je l'ai vu, pas mal de mérovingien.

Hasard étrange : tandis que sans l'avoir voulu je me frottais au politique, la nouvelle histoire commençait à se soucier de nouveau de lui.

XV

Le Maréchal

Ce ne fut pas la télévision, ce fut la radio qui m'amena à raconter la vie de Guillaume le Maréchal, pour un programme intitulé « les inconnus de l'histoire ». J'avais envie depuis longtemps de parler de ce Guillaume. Guillaume est né vers 1145, il est mort en 1219, régent d'Angleterre, donc très important personnage; il passa en France le plus clair, le plus joyeux de son existence; les Français pourtant ignorent tout de lui. Moi, je le connaissais beaucoup mieux qu'aucun autre homme de son temps. En effet, nous conservons par hasard quelque chose comme ses mémoires. Après sa mort, son fils aîné et héritier avait embauché un poète, un écrivain superbe, lequel, pour que le souvenir du défunt fût conservé, composa, interrogeant finement l'écuyer qui pendant trente ans avait suivi le Maréchal comme son ombre, un poème de vingt mille vers. On y voit Guillaume agir, se démener sur le champ des tournois, boire avec ses amis, pleurer dans l'infortune, courtiser les dames. On l'entend parler. Il est vivant. Voici enfin un chevalier qui pour moi n'était pas qu'un nom, ou un passant furtif entrevu au détour d'une charte. J'évoquai donc ce personnage truculent, prétentieux, un peu borné, malin. Lorsque la série d'émissions devint une série de livres, je développai avec joie ce que j'avais effleuré devant le micro.

Comme naguère à propos de Bouvines, on pouvait m'accuser de trahir l'« esprit des *Annales* ». J'étais en effet le premier des épigones de Marc Bloch et de Lucien Febvre qui acceptât d'écrire la biographie d'un « grand homme ». De fait, je ne déviai pas d'un pouce de mon parcours. Le seul changement, fort important je le reconnais, touchait à la forme. Je revenais carrément au récit. Je racontais une histoire. Je suivais le fil d'un destin personnel. Toutefois, je m'en tenais toujours à l'histoire-problème, à l'histoire-question. Ma question demeurait la même : qu'est-ce que la société féodale? Une douzaine d'années plus tôt, je m'étais servi d'un événement, de première grandeur, Bouvines, c'est-à-dire de l'exceptionnel, pour découvrir, sur le terrain de la guerre, le banal, le quotidien. Cette fois j'observais la carrière, exceptionnelle, d'un individu, exceptionnel, d'un champion du monde, d'un gagneur, je regardais vivre le Platini, le Tapie du XIIᵉ siècle parce qu'il m'intéressait, mais surtout afin, à travers lui, à travers les traces très nombreuses laissées par son passage turbulent en ce monde, d'en savoir plus, beaucoup plus sur le chevalier quelconque, sur le commun de la chevalerie.

D'ailleurs Lucien Febvre n'avait-il pas, et dans un dessein analogue, écrit lui-même une biographie, celle de Luther? Ma tâche était beaucoup plus facile : la biographie ici était toute faite, et même Sydney Painter, érudit américain, avait déjà rectifié toutes les erreurs du poète et comblé ses lacunes. Ce livre peut se lire comme un roman de cape et d'épée. Je l'ai écrit dans un plaisir alerte et pour qu'il plaise à l'amateur d'histoire. Il semble pour cela léger. Il est en vérité aussi lourd de données savantes, aussi sérieux que *Les Trois ordres*. Moins austère certes. Certains s'y sont trompés. Tel ce critique allemand avertissant, péremptoire, à la fin d'un compte rendu au demeurant aimable : cet ouvrage n'est pas destiné aux spécialistes. Or les spécialistes en sont les premiers destinataires et, plus lucide, l'orateur de l'université de Cambridge s'en est bien rendu compte : dans un discours latin en mon honneur, il ne cita de mes ouvrages que *Guillaume le Maréchal,* avec *Bouvines.*

Comme pour l'art cistercien, je partais d'un monument. Car cet interminable poème, rythmé dans le parler des chevaliers pour être chanté devant les descendants du héros et élever leur cœur au rappel de ses vertus, était bien un monument, funéraire, un cénotaphe, ce mémorial venant en complément du gisant sculpté sur le tombeau de l'ancêtre dans l'église du Temple, à Londres. De ce monument je cherchais à comprendre la fonction, le sens. Comme pour la légende de Bouvines, j'étudiais les déformations du souvenir, le jeu de la mémoire et de l'oubli, et, comme à propos de Bouvines, le particulier ne m'intéressait là que m'informant du collectif. Le vrai sujet du livre n'est pas Guillaume, c'est la chevalerie, son idéal, les valeurs qu'elle affirmait respecter. C'est aussi un système politique, la « féodalité », puisque à travers ce cas concret, le fonctionnement de ses rouages se découvre beaucoup plus clairement que dans les traités ou dans les chartes. Aux spécialistes je présente ici ce qui m'a frappé comme autant de traits spécifiques caractérisant un milieu social dans ses rapports à l'argent, à la renommée, au salut. Je leur montre par exemple, et ceci jette une lumière nouvelle sur le jeu des pouvoirs et leur vraie distribution au sein de la société que nous disons féodale, comment un baron du XIIe siècle, pris dans le filet des obligations enchevêtrées et souvent contradictoires découlant de ses devoirs de parent, de seigneur, de vassal et de sujet, parvenait à s'en dépêtrer sans félonie, sans faillir à l'honneur. Enfin, ce livre leste aide, je crois, à aborder mieux armé deux problèmes clés de l'histoire des sociétés : quelle idée les hommes de guerre se faisaient-ils en ce temps de la mort? Quelle place abandonnaient-ils aux femmes?

Ces deux questions me préoccupaient depuis longtemps. Non pas toutefois dès le début de l'enquête : dans ma thèse elles ne sont pas posées, et je me le suis reproché. Mais la thèse à peine publiée, elles s'établirent en plein centre du programme que je dressai, entendant bien poursuivre des recherches personnelles dans les temps libres que me laisseraient l'exécution des commandes et les agréments de la vie. Je peux dater avec précision ce projet : 1955. Usant de la souveraine liberté dont je jouissais dans ma chaire d'Aix, je décidai, à l'étonnement du conseil de faculté, de donner désormais en séminaire une part de mon enseignement. C'était innovation pure à l'époque. J'en avais l'idée depuis que j'avais vu Henri Marrou prendre cette même initiative, en franc-tireur, à Lyon, lorsque j'étais étudiant. Aux quelques jeunes agrégés que j'avais déjà formés, je proposai que nous travaillions en commun sur quelques textes que j'avais choisis. Quelle était leur teneur ? Je rouvre un vieux dossier : les uns traitaient de dispositions testamentaires et de sépultures, les autres du mariage.

Le choix que je fis à cette date met en pleine lumière un fait dont j'ai déjà dit un mot. Le champ des sciences de l'homme est parcouru par des courants de profondeur, inaperçus, irrésistibles, qui déplacent à certains moments l'ensemble des curiosités. En effet, Philippe Ariès, dont j'ignorais totalement l'existence comme il ignorait la mienne, se lançait au même moment sur la même voie. Mais il n'est pas moins remarquable que j'en sois encore aujourd'hui à travailler sur un projet esquissé il y aura bientôt quarante ans. Ceci témoigne de la cohérence de l'ouvrage que j'ai poursuivi pendant un demi-siècle. Il forme un tout. Son lent développement se trouvait en fait « programmé », comme disent les biologistes à propos de la prolifération cellulaire, au cœur de ce noyau original : le plan directeur sur quoi j'ai composé mon premier livre, ma thèse de doctorat. Sur ce plan, trois axes étaient tracés. L'un m'a conduit vers la terre, les paysans, les paysages. L'autre vers la chevalerie, la noblesse, Bouvines, Guillaume le Maréchal. Le troisième à des considérations sur le pouvoir que j'ai prolongées plus récemment, et notamment dans *Guillaume le Maréchal,* alors que les historiens, d'un même mouvement, revenaient au politique. Enfin, une lacune s'ouvrait dans ce plan, béante. Je pris conscience de ce manque assez tôt, bien avant de me mettre à lire les ethnologues, au moment où je me persuadais que l'histoire des sociétés doit prendre en compte l'étude des attitudes mentales. J'entrepris alors de combler peu à peu cette lacune. J'ai rassemblé des informations portant sur la mort, sur le sexe. Elles se sont accumulées d'année en année. Ainsi, je me suis approché à petits pas, prudemment, des deux groupes sociaux dont je ne m'étais point soucié, alors que leur fonction est d'une telle importance que les négliger empêche de se représenter ce que fut vraiment la société féodale. L'itinéraire que je suivais me conduisait forcément à m'interroger sur le rôle des défunts et sur celui des femmes dans la moitié nord de la France au XIᵉ et au XIIᵉ siècle.

XVI

Parentés

En 1973, nous en avions fini dans le séminaire du Collège de France avec les trois ordres. Je décidai de revenir sur le chantier que j'avais entrouvert à Aix dix-huit ans plus tôt, et depuis lors nous avons travaillé chaque semaine sur ce thème : « structures de parenté et sexualité dans la chrétienté médiévale ».

Je ne l'avais pas défini par hasard, mais en fonction d'abord des questions que se posaient alors les spécialistes des diverses sciences de l'homme, les ethnologues marxistes en particulier, qui s'apercevaient que les liens du sang, les alliances, les relations de commensalité constituent le cadre de tous les « rapports de production » dans les sociétés primitives. Mais il y avait aussi notre société qui voyait s'effriter les armatures traditionnelles de la famille et se « libérer » brusquement les mœurs sexuelles : le thème s'accordait aux préoccupations du moment. Inéluctablement, les agitations et les inquiétudes du présent retentissent sur le travail de l'historien. Si indifférent soit-il, si décidé à s'enfermer dans ses paperasses et sa tour d'ivoire, le présent le tiraille et le happe. Je construisis le nouveau programme en me souciant du présent, ce qui fit s'ouvrir davantage le séminaire. Paul Veyne accepta d'y présenter ses vues. Et j'apercevais parfois, dans le lointain, au fond de la salle, Foucault, discret, prenant des notes.

Les deux premières années, les anthropologues régulièrement nous rejoignirent. Nous avions grand besoin d'eux. Souriant de l'imprécision de notre vocabulaire, ils nous pressaient de le rectifier, de l'ajuster au leur. Sans cela, nos concepts seraient en effet restés dangereusement flottants, et nous gagnâmes beaucoup à plaquer sur les textes d'où nous tirions nos données les grilles classificatoires dont ils nous proposaient l'usage. Les employant toutefois avec beaucoup de précaution, car nous entendions restituer fidèlement une image, montrer comment un chevalier contemporain de Suger se représentait lui-même ses rapports avec ses aïeux, sa descendance, avec les femmes, et nous évitions avec soin de flétrir tant soit peu la fraîcheur des témoignages. Pour cela, souvent, nous préférions reprendre leurs propres termes. Plutôt que d'attribuer au mot lignage le sens que lui donne l'anthropologie, nous lui conservions celui qu'il a sous la plume de Chrétien de Troyes.

Par force, nous nous en tînmes à l'étude des étages les plus élevés de l'édifice social. En effet, le fort de nos recherches portait encore sur le XIe et XIIe siècle. Tous les écrits de cette époque émanent de la haute église ou des grandes cours princières. Ils ne révèlent à peu près rien de la parenté des humbles ni de leurs amours, et le peu que l'on y trouve est grossièrement déformé par des préjugés de classe. Ce que nous pûmes découvrir ne vaut donc que pour l'aristocratie. Sans doute savions-nous que les grands montrent généralement l'exemple et que les modèles de comportement auxquels on se réfère dans la « bonne » société sont vite imités dans la strate immédiatement inférieure, le mouvement se propageant de degré en degré jusqu'à la base. Nous nous gardions cependant de penser que l'on épousait, que l'on héritait dans le peuple comme on le faisait parmi les seigneurs. Il s'imposerait donc de poursuivre l'enquête dans les contrebas plus obscurs à partir de ce que nous avons pu découvrir en commençant comme nous le devions par les sommets, seuls convenablement éclairés.

Je ne me hasardais pas sur ce nouveau terrain sans bagages. Depuis le début de mes travaux, j'avais récolté dans les cartulaires et les archives quantité d'indices quant à la façon dont se transmettaient les patrimoines, dont se ramifiaient les lignées, dont on honorait les morts. Les dispositifs des chartes attestant la fondation d'une messe anniversaire en faveur d'un père ou la constitution d'un douaire en faveur d'une épouse me fournissaient de quoi repérer les cadres juridiques où s'était inscrit le jeu vivant des filiations et des alliances. Toutefois ça n'étaient que des cadres, rigides, abstraits, une façade dressée devant la réalité. Que se passait-il derrière? Lorsqu'un homme recevait une fille des mains de son père, l'usage le contraignait à demander au prêtre du village de tracer sur une rognure de parchemin des mots latins. Par ces mots il disait aimer cette femme et, pour l'amour d'elle, lui céder le tiers ou la moitié de ce qu'il possédait. Que signifiaient pour lui de telles formules, que signifiaient-elles pour le père, pour les frères de l'épouse? Et celle-ci, quel avantage était-elle en mesure d'en tirer personnellement? Je crois à la force des principes juridiques et qu'on ne peut faire convenablement l'histoire d'une société sans connaître le droit qui l'a régie. J'admire, et j'utilise les travaux des historiens du droit, prudents exégètes de textes ardus, et surtout depuis que certains d'entre eux, jetant aux orties la toge rouge où plastronnaient leurs aînés, se sont mis eux aussi à travailler de concert avec les anthropologues. Mais les règles du droit de ce temps sont pour nous mal perceptibles, la coutume avant le milieu du XIIᵉ siècle beaucoup moins rigoureuse sans doute qu'on ne l'a cru. Et d'ailleurs, jusqu'à quel point s'imposait-elle ? Quant aux sermons, aux exhortations à la pénitence, à ces vies de saints composées pour servir de modèle, tous ces écrits normatifs que nous avons aussi attentivement scrutés, nous ne pouvons pas non plus en mesurer le retentissement sur les conduites. Dans toute société, la distance est large qui s'étend entre ce que les moralistes enjoignent de faire, ce que les codes obligent à faire et ce que les gens font, notamment dans le domaine des relations entre les sexes, le plus secret, le moins pénétrable qui soit. Pour tenter de parvenir, sous ces enveloppes de prescriptions formelles, jusqu'à ce qu'elles enserraient et qu'elles masquent, nous nous sommes tournés vers d'autres sources, aussi trompeuses sinon plus, mais qui trompent d'une autre manière et sur des plans différents. Je parle des récits, des chroniques, des poèmes qui prétendent décrire la réalité quotidiennement vécue.

Dans le nord de la France et dans le Val de Loire nombreux sans aucun doute furent les princes, grands et petits, qui, dans la seconde moitié du

XIIᵉ siècle, pour rehausser leur gloire, firent mettre en forme solennelle par un homme d'église rompu aux exercices de la rhétorique latine le souvenir que l'on gardait dans leur entourage des origines de leur lignage et des hauts faits de leurs aïeux. De cette littérature toute domestique, familiale, et qui traite précisément de ce que je cherchais, presque tout s'est perdu. Mais les rares débris qui en furent par hasard préservés m'ont prodigué quantité d'informations très précieuses. Ces panégyriques, certes, livrent de la parenté et des mœurs ancestrales l'image que le commanditaire de l'ouvrage attendait qu'on lui présentât. Mais les traits d'une morale lignagère s'y révèlent; on y découvre, en regard des généalogies péniblement reconstruites par l'érudition, celles qui demeuraient dans la mémoire des descendants, et ce sont celles-ci qui importent puisqu'elles montrent comment les liens de famille étaient alors sentis. Plus tard, je me suis aventuré parmi l'exubérance des chansons et des romans chevaleresques : je voulais voir comment l'amour et la mort avaient été rêvés. C'est le rêve en effet que l'on perçoit dans ces textes. Mais il ne présente pas moins d'intérêt pour moi que le réel. La réalité des comportements amoureux est de toute façon insaisissable. Du moins son reflet se projette-t-il nécessairement dans la littérature d'évasion et celle-ci, proposant des personnages exemplaires à l'imitation de ses auditeurs, ne laisse pas, comme la littérature hagiographique, de retentir sur les comportements. Pour interpréter les textes de ce genre, susceptibles d'être lus de plusieurs manières, le secours d'experts est indispensable. Les historiens des littératures de langue vulgaire venaient nombreux à mon séminaire. Je leur dois beaucoup.

D'ailleurs, très généralement, je dois beaucoup à autrui. Je n'ai cessé de grapiller autour de moi. Les travaux de Karl Hauck, de Gerd Tellenbach et de leurs disciples m'ont aidé à déceler dans les documents émanant de l'espace français la révélation, aux environs de l'an mil, d'une mutation profonde des structures de parenté au sein de l'aristocratie (je dis bien révélation, non pas révolution, car l'historien n'est jamais en droit d'affirmer que les changements affectant la forme des écrits qu'il utilise sont exactement contemporains de la mutation du vécu que ces écrits font connaître). Ma dette est également considérable envers les chercheurs que j'ai dirigés, à Aix ou à Paris. Je prends le cas de l'un d'eux, Jacques Paul. J'avais mis entre ses mains l'*Historia* composée par le moine Orderic Vital. Il attira mon attention sur la place occupée au XIIᵉ siècle dans les événements de Normandie et dans les relations sociales par des hommes qui dans ce récit sont distingués des autres au moyen d'un substantif, le mot « jeune », c'est-à-dire par des chevaliers, des adultes, mais demeurés célibataires. J'examinai d'autres textes, provenant de diverses provinces de la France septentrionale. On y voit partout, tenant un rôle de premier plan ces mâles sans établissement, errant à l'aventure en petites bandes tumultueuses. Ils formaient le gros de l'auditoire des romanciers et des troubadours, si bien que l'on peut traiter la littérature chevaleresque comme un miroir tendu devant ces violents, ces instables, en quête de butin et de femmes, pour qu'ils y contemplent leur visage, idéalisé. C'est à ce moment que je découvris l'un de ces « jeunes », Guillaume le Maréchal, dans le poème qui le fait revivre.

J'en vins donc peu à peu, puisant à toutes les sources, à suggérer de voir la classe dominante dans les pays français du nord de la Loire comme un ensemble de lignées d'hommes, d'une noblesse plus ou moins éclatante selon que la mémoire familiale y remontait plus ou moins haut jusqu'à l'ancêtre fondateur. Comme une juxtaposition de maisons, de toutes tailles, agencées sur le modèle mis au point à l'époque carolingienne de la maison royale, chacune étant placée comme celle-ci sous l'autorité d'un père, héritier lui-même de son père et qui laisserait le pouvoir à son fils aîné. Il m'apparut que pour éviter l'émiettement du patrimoine, pour que le tronc lignager n'allât pas s'épuiser en se ramifiant, la prudence paternelle veillait à marier toutes les filles mais à ne donner femme légitime qu'à un seul des garçons, et j'expliquai en particulier par cette restriction de la nuptialité masculine le très grand nombre de « jeunes » et leur turbulence. Je voyais ainsi s'articuler une structure dont l'institution matrimoniale constituait le pivot et sur quoi se plaquaient toutes les valeurs, tous les mythes, tous les rites de la chevalerie. Les documents me montraient cette structure prenant forme à la fin du Xe siècle et commençant à se désagréger deux siècles plus tard, au moment du démarrage de l'économie urbaine et marchande.

Telle est l'image qui me semble aujourd'hui s'accorder le mieux à l'enseignement des documents dont je me suis servi. Ces documents sont lacunaires, ambigus, certains d'entre eux autoriseraient à proposer une image différente, et j'ai donc trouvé des contradicteurs : on me désigne, par exemple, des familles où plusieurs frères ont pu se marier. Je réponds d'abord qu'une société n'a pas la structure précise, aiguë, invariable d'un cristal et qu'il importe, en bonne méthode, de distinguer soigneusement les exceptions de la norme. J'ajoute que je ne parle pas de toute la chrétienté latine, où les pratiques sociales, à l'époque, étaient extrêmement diverses, mais d'une seulement de ses provinces, et d'une part de la société, la dominante. J'avoue enfin que ce n'est de ma part qu'une hypothèse, propre à stimuler les chercheurs, et que j'attends de ceux-ci qu'ils la mettent en question et peut-être bien la détruisent.

Je l'ai bâtie lentement, prudemment, à petits coups. On m'a reproché de me répéter. C'est vrai. Je me suis ici répété. J'étais contraint de le faire, puisque nous sommes tenus au Collège de France de divulguer périodiquement le résultat de nos travaux, et que ces travaux, dans leurs progrès, obligent à reprendre la matière d'un article antérieur pour l'enrichir, pour rectifier tel point, développer tel autre, à revenir sur nos pas, corrigeant ou développant. C'est ainsi que d'un livre consacré à l'histoire du mariage, j'écrivis deux versions. La première, en anglais, publie le texte de quatre conférences prononcées à Baltimore, à l'université Johns Hopkins. Dans la seconde, en français, on voit cette esquisse prendre de l'ampleur et de la profondeur. En effet, pendant deux ans, nous étions dans le séminaire retournés aux textes, nous les avions triturés et nous avions beaucoup gagné en chemin.

Cet ouvrage entend montrer comment s'est mis en place – et durant la même période, toujours : le XIᵉ et le XIIᵉ siècle – le cadre où, dans notre société, la conjugalité s'est inscrite jusqu'à ce que, sous nos yeux, ce cadre se disjoigne. Il décrit l'opposition violente de deux morales, celle à quoi se référaient les guerriers et celle que voulaient imposer les prêtres. Il explique comment et pourquoi ces deux morales finirent par s'accorder, et la très lente, hésitante sacralisation de l'institution matrimoniale. Il surprit, et me valut quelques lettres acerbes. Il troublait en effet tous ceux, nombreux, ne doutant pas que le mariage ait été dès les origines du christianisme tenu pour l'un des sacrements. Et surtout, implicitement, il posait sur le terrain de la sexualité une question grave : quelle peut être l'influence des administrateurs du sacré sur l'évolution d'une société ?

Le chevalier et le prêtre affrontés. Entre eux, la femme. De la femme, que savons-nous ? Sur cette interrogation se clôt le livre.

XVII

Projets

Je m'emploie, dans le moment même où j'écris ces réflexions, à donner réponse à cette question. Elle me retient depuis une dizaine d'années. Toutes mes recherches, tout mon enseignement tournent autour d'elle. C'est ici qu'aboutit la longue route que j'ai suivie, passant des paysans à la noblesse, de l'étude des outils de la production et du commerce à celle des liens de parenté, des systèmes idéologiques à celle des rêves. D'ailleurs le mouvement qui sous nos yeux bouleverse pour la première fois de fond en comble les relations entre le masculin et le féminin établies depuis les débuts de l'histoire rend cette question plus pressante : le Moyen Age était-il aussi mâle qu'il paraît ? Enfin, comment puis-je prétendre porter un jugement global et sérieux sur une population dont je m'acharne depuis cinquante ans à découvrir les mœurs et les croyances si je néglige d'en observer de près une moitié? Il est même étrange que j'aie tant tardé à m'inquiéter de l'histoire des femmes. Pourquoi?

Parce que je suis un homme? Non point. C'est que je suis allé constamment du plus clair au plus obscur. Avant d'aborder le « continent noir », je devais en déblayer les abords et fourbir mes armes. Car de ce côté les ténèbres s'épaississent. A propos des femmes de ce temps, nul témoignage qui ne soit gauchi, déformé. Nous n'entendons à peu près jamais leur voix. Toujours ce sont des hommes qui parlent d'elles, et pour la plupart des hommes d'église qui, en principe, auraient dû s'en tenir éloignés. Elles sont pour nous sans visage et sans corps. Tout ce que le médiéviste peut espérer, c'est s'approcher de l'idée que les prêtres et les moines se faisaient d'elles. Encore doit-il se garder de prendre pour argent comptant ce que répandaient à l'époque la littérature édifiante et celle de divertissement, aussi fallacieuses l'une que l'autre. S'ajoutent pour brouiller l'image tant d'idées fausses, indéracinables, et puis l'excès de passion. On voit où il a pu conduire quelques féministes et, sur l'autre bord, les entichées de Jeanne d'Arc ou d'Aliénor d'Aquitaine. Autant d'embûches tendues devant l'historien. Pour ma part, je suis à mi-chemin, m'appuyant sur toutes les notes accumu-

lées et sur ce que j'ai appris en dirigeant avec
Michelle Perrot une ample, sévère, savante histoire
des femmes, toute ponctuée d'interrogations. Cou-
vrirai-je cette dernière étape?

*
* *

Au terme du parcours, je jette un œil sur ce
qu'est devenu mon métier. Que dire aux jeunes qui
l'ont choisi, qui travaillent auprès de moi et qui
s'inquiètent de ce qu'il sera demain? Je ne crois
pas qu'il soit plus malaisé que de mon temps d'y
faire aujourd'hui carrière. Car, il ne faut pas l'oublier, en 1942, lorsque j'ai commencé, il n'y avait
ni poste d'assistant dans les universités, ni place
au CNRS pour les chercheurs en sciences humaines,
et si nous étions beaucoup moins nombreux à rêver
de devenir professeur d'histoire du Moyen Age
dans une faculté, il n'existait en tout et pour tout
que dix-neuf postes à travers la France, réservés
pour une bonne part à des chartistes. Non, ce qui
s'est assombri, dégradé, c'est d'abord l'environnement. Que reste-t-il de l'aisance à quoi je dois
d'avoir travaillé dans la joie, je puis le dire, dans
l'université depuis le début de mes études jusqu'au
moment, le bon moment, où j'ai pu m'établir dans

ce refuge privilégié, le Collège de France? A peu près rien. Tout s'est abîmé, flétri, du fait de l'incurie, de la démagogie, de l'impuissance. Il faut tout de même que je me méfie. *Laudator temporis acti,* j'incline sans doute à embellir le souvenir de ces temps lointains, d'heureux loisirs, d'amours printanières qui se prolongeaient au bord des ruisseaux dans les forêts lyonnaises. Mais la faculté de mes vingt ans, je la vois vaste, claire, sereine, respectable et respectée. La République avait bien fait les choses. Elle logeait dans des palais les futures élites de la nation.

Je parle d'élite sans vergogne. Je tiens en effet qu'une société nivelée n'a pas de ressort. Avec infiniment de chance, elle peut jouir d'un bonheur plat, celui des Nambikwaras lorsque Lévi-Strauss les visita, un bonheur de somnolence. D'ordinaire, une expérience menée pendant quarante ans à l'Est de l'Europe en fournit la preuve éclatante, elle s'enfonce dans le marasme et le désespoir. En tout cas, elle n'a plus d'histoire. Je suis donc résolument élitiste, ou élitaire, à condition, bien entendu, que les élites ne deviennent pas des castes. La mission de l'université est justement de contribuer à éviter cela en formant ces élites. Elle ne peut le faire convenablement si elle s'ouvre à tout venant. Dans les années soixante, elle s'est largement ouverte, et ce fut heureux. La nation se doit en effet d'élever

214

sans cesse le niveau de culture générale dans l'ensemble de la population. Elle devait alors prolonger pour le plus grand nombre les études au-delà du baccalauréat. Mais il eût fallu veiller à ce que l'édifice universitaire ne s'aplatisse pas pour autant, maintenir des degrés, bref trier. Concilier l'indispensable démocratisation et l'indispensable sélection. Protéger de l'engorgement un espace plus élevé, aéré, nécessaire. D'abord à la formation des maîtres, car il n'est pas de pédagogie sans hiérarchie. Puis du progrès de la science.

Il eût donc fallu remodeler totalement l'institution universitaire. Je la juge incapable de se réformer elle-même. Elle ne peut l'être que de l'extérieur, par acte d'autorité. Il en faut beaucoup pour venir à bout de l'inertie et des égoïsmes corporatistes. Justement, dans les années soixante, de Gaulle avait le moyen de briser ces résistances. Il ne s'en est pas soucié. Personne depuis n'a retrouvé le même pouvoir. A force de marchandage, de temporisation, le gâchis s'est aggravé. Reste un autre remède : l'émulation, la concurrence. Qui oserait donner à chaque université la pleine autonomie, le droit de gérer en toute liberté ses finances? Qui oserait placer face aux universités d'État, pour les tirer de leur torpeur, des universités privées dotées des mêmes privilèges?

Qui osera relever la dignité de notre métier? Car dans notre société où tout s'achète, c'est aussi une affaire d'argent. Nos maîtres ne roulaient pas sur l'or, mais ils ne faisaient pas pitié à leurs amis médecins ou avocats, et leur épicier ne riait pas d'eux. Je pense à certains de mes élèves, doublement docteurs, de troisième cycle et puis d'État, maîtres de conférence dans l'un des morceaux de l'ancienne Sorbonne, et que l'on invite à l'étranger pour la renommée de leur savoir. Leur salaire est à peine égal à celui d'une dactylographe de la SEPT. Que soient ainsi traités les successeurs de maître Albert le Grand, de Thomas d'Aquin, de Duns Scot, n'est pas convenable. Je dis que c'est dangereux, et je le dis avec gravité. L'histoire en effet m'apprend qu'une civilisation commence à crouler lorsque, mal entretenu, mal aimé, le système d'éducation s'y détraque. Un sursaut est-il possible? L'Europe – car la dégradation de l'instrument universitaire n'est pas propre à la France – l'Europe n'est-elle pas plus affaiblie, plus pauvre que nous ne le supposons? Depuis qu'elle n'est plus aussi franchement esclavagiste qu'au temps de sa splendeur conquérante, depuis qu'elle a cessé de piller avec autant de voracité le reste du monde, est-elle encore capable de se goinfrer, de se prélasser comme elle le fait, de se parer du clinquant de prestiges illusoires et de s'offrir en supplément de vrais artistes et des savants?

*
* *

Quant à l'avenir de nos études, devons-nous juger le déclin de l'école historique française aussi marqué que certains se plaisent à le proclamer? Incontestablement des signes d'assoupissement se discernent. Entre nous, le débat d'idées est beaucoup moins vif qu'il n'était il y a trente, quarante ans. La retombée s'explique en partie par la débâcle des idéologies. Mais c'est aussi que l'élan dont l'école des *Annales* fut porteuse s'est amorti. Il y a beau temps qu'il ne rencontre plus d'obstacle. Tout est conquis, la machine ronronne, et les curiosités s'éparpillent. Il existe aussi une « petite histoire » des structures, comme il existe en peinture des « pompiers » de l'abstraction. Pourtant la vivacité demeure. Ce qui trompe c'est qu'elle ne s'établit plus où l'on était accoutumé qu'elle fût. Aujourd'hui, les médiévistes français brillent encore dans les rencontres internationales, mais c'est en matière de codicologie ou d'héraldique, dans ces disciplines austères, auxiliaires de l'érudition, revigorées par un contact plus étroit avec les autres sciences humaines et parce que l'« esprit des Annales » aujourd'hui les a pénétrées.

C'est ainsi que l'histoire médiévale reste jeune sous l'effet de stimulations provenant de ses franges, et notamment de deux aires de recherche où l'innovation pétille. De l'archéologie d'abord. Rattrapant un long retard, celle-ci a pris en France il y a vingt-cinq ans son essor, dans le moment même où, l'épanouissement de la sémiologie les aidant à interpréter convenablement les images et les appelant à tirer parti de tous les signes, les historiens s'apercevaient que les objets révèlent de la vie des gens qui jadis en usèrent autant sinon davantage, et du moins suspect, que les écrits. Soutenue par la faveur du grand public et, pour cette raison, par l'aide substantielle de l'État, elle ne cesse d'étendre ses conquêtes. Les archéologues ne se sont pas détournés des monuments, mais ils ne concentrent plus sur eux toute leur attention comme naguère. Dans les vieux quartiers urbains éventrés par les entreprises de rénovation, sur l'emplacement des hameaux disparus et de très anciens cimetières, dans les tourbières où pendant des siècles se sont déposés les pollens des champs et ceux des friches, dans la cendre des foyers, ils recueillent les plus humbles traces de l'activité humaine. Ce qu'ils découvrent est infiniment précieux, parfois déroutant. Témoins irrécusables, les produits de la fouille viennent ébranler quelques hypothèses que nous avions bâties à partir des textes. Comment se fait-il par exemple que les mentions de châteaux, au

218

début du XIe siècle, soient si rares, et si nombreux les vestiges éparpillés de « mottes », de fortifications de terre, construites en ce temps-là ? Ou que l'on ait retrouvé la preuve d'une intime compénétration des activités militaires et agricoles sur le site de ces grandes demeures élevées vers l'an mil sur les bords d'un lac, en Dauphiné, alors que, dans les discours et les listes de témoins dressées au bas des chartes, guerriers et paysans sont toujours séparés par une frontière abrupte, en vertu d'un partage dont les intellectuels proclamaient à cette époque qu'il avait été établi de toute ancienneté par la providence ? Voici qui nous provoque et fait rebondir la recherche.

L'autre chantier, dont l'élargissement récent vient déranger nos habitudes, est celui de l'historiographie, d'une histoire de l'histoire fondée sur l'étude attentive des articulations de la mémoire et de la rhétorique. Si nous nous interrogeons maintenant sur la conscience que les hommes du Moyen Age prenaient de leur passé, c'est que, il y a aussi quelque vingt-cinq ans, nous avons commencé d'être gagnés par le scepticisme, ou plutôt la prudence, nous rendant compte que nos prédécesseurs avaient montré trop d'assurance dans les progrès de la science et cessant nous-même d'espérer atteindre jamais la vérité. Alors, renonçant à débusquer le « fait vrai », nous contentant, comme je le disais à l'instant à propos d'une histoire des femmes, de saisir son reflet dans l'esprit de ceux qui en ont autrefois écrit, nous avons fait du témoignage l'objet principal de notre recherche, et ceci détermine à la fois le fructueux déplacement des angles d'approche et la nécessité d'ajuster nos procédés d'analyse et de critique.

Ces courants nouveaux m'entraînent, moi aussi. Imaginons que je mène à son terme mon dernier projet, que je parvienne à mettre en lumière et à expliquer ce que les hommes du XIIe siècle pensaient de ces êtres étranges qu'ils rejoignaient le soir dans l'obscurité de la chambre, dont ils tiraient du plaisir, qui les inquiétaient et que, pour s'en défendre, ils accablaient de leur mépris. Imaginons que je réussisse à me hisser suffisamment pour jeter un regard par-delà le mur alors dressé entre le domaine des hommes et celui des femmes, à entrevoir quelques silhouettes, quelques gestes, à deviner un peu de ce que faisaient alors les femmes entre elles, sans doute m'arrêterai-je là, exténué. Mais imaginons, rêvons. Il resterait devant moi une question. Cette question que j'ai eu le tort de contourner il y a cinquante ans quand, déterminant le champ de ma première enquête, j'ai laissé de côté les moines et les prêtres. Cette question que j'ai frôlée lorsque j'étudiais l'histoire du mariage, mais sans l'attaquer de front : comment, nous dégageant de nos habitudes de pensée, de tous les lieux communs, oubliant ce que rabâche une histoire traditionnelle du christianisme, comment situer à sa juste place, dans la société féodale, au sein du « féodalisme », l'église, et plus généralement ce que nous appelons le religieux ? A ce problème, le moment est venu de s'attaquer. Je ne suis pas le seul à le dire. Je me tiens comme toujours au milieu d'un groupe, j'avance avec lui, entouré de plus jeunes. Ils posent déjà la question. Ça n'est pas moi, ce sont eux qui ont chance de lui donner réponse. Je m'arrête ici. L'histoire continue.

Table des matières

I. Le choix 9
II. Le patron 19
III. Le matériau 25
IV. Le traitement 41
V. Lecture 57
VI. Construction 71
VII. La thèse 83
VIII. La matière et l'esprit 93
IX. Mentalités 115
X. De l'art 127
XI. Le collège 143
XII. Voyages 163
XIII. Honneurs 177
XIV. De la télévision 181
XV. Le Maréchal 191
XVI. Parentés 199
XVII. Projets 211

CET OUVRAGE A ÉTÉ COMPOSÉ
ET ACHEVÉ D'IMPRIMER SUR ROTO-PAGE
PAR L'IMPRIMERIE FLOCH À MAYENNE
EN AOÛT 1991

N° d'impression : 30928.
Dépôt légal : septembre 1991.
Imprimé en France